Agatha Christie, née à   1890, publie son pr
Styles, simultanémen
1920.
Auteur de 66 romans
100 nouvelles, tradu
d'hui, grâce à Miss Marple, Hercule Poirot, Parker Pyne et les
autres, l'écrivain de romans policiers le plus célèbre et le plus
vendu au monde.
Comment expliquer ce succès de la reine absolue du roman
d'énigme ? Sans doute, comme le dit H.R.F. Keating, « parce
qu'elle est en même temps un génie de la complexité et un
génie de la simplicité : complexité des intrigues policières,
simplicité et limpidité dans la façon d'y conduire le lecteur... ».

AGATHA CHRISTIE

Rendez-vous avec la mort

TRADUCTION NOUVELLE DE L'ANGLAIS PAR JEAN-MARC MENDEL

LIBRAIRIE DES CHAMPS-ÉLYSÉES

Titre original :

APPOINTMENT WITH DEATH

A Richard et Myra Mallock,
en souvenir de leur voyage à Pétra.

PREMIÈRE PARTIE

1

— *Tu vois bien qu'il faut la tuer, non ?*

Lancée dans le calme feutré de la nuit, la question parut y flotter un instant, avant de s'évanouir au loin, vers les ténèbres de la mer Morte.

La main sur la poignée de l'espagnolette, Hercule Poirot hésita un peu. Puis, d'un geste décidé, il ferma la fenêtre, barrant ainsi la voie aux miasmes de l'air nocturne. On l'avait élevé dans l'idée que l'air du dehors doit, autant que faire se peut, être banni du dedans, et que les vents coulis du soir sont particulièrement dangereux pour la santé.

Il tira les rideaux avec soin, et s'en fut se mettre au lit, un sourire indulgent aux lèvres.

« *Tu vois bien qu'il faut la tuer, non ?* »

Pour sa première nuit à Jérusalem, Hercule Poirot, détective de son état, venait de surprendre là une phrase bien étonnante.

« Où que j'aille, décidément, le crime se rappelle à mon bon souvenir », se dit-il.

Il sourit encore en se remémorant une anecdote qu'on lui avait contée sur Anthony Trollope, le romancier. Trollope, lors d'une traversée de l'Atlantique en paquebot, avait surpris les propos de deux de ses compagnons de voyage qui discutaient de la dernière livraison, en feuilleton, de l'un de ses romans.

— C'est très bien, avait tranché l'un des deux.

Mais, maintenant, il faut qu'il supprime cette vieille enquiquineuse !

Souriant jusqu'aux oreilles, le romancier s'était approché :

— Messieurs, je vous suis très reconnaissant ! Je m'en vais de ce pas la tuer !

Hercule Poirot se demanda ce qui motivait les quelques mots qu'il venait d'entendre. Peut-être, tout bonnement, un livre ou une pièce écrits en collaboration.

Il n'en pensa pas moins, guilleret malgré tout : « Un de ces jours, peut-être aurai-je à me souvenir de cette phrase, et à lui donner une signification plus macabre... »

Il y avait dans cette voix, il se le rappelait avec netteté, une étrange intensité, un vibrato nerveux qui dénonçait une émotion profonde. C'était la voix d'un homme... d'un très jeune homme.

Avant d'éteindre sa lampe de chevet, Hercule Poirot songea encore :

« Si jamais l'occasion m'est donnée d'entendre à nouveau cette voix, je la reconnaîtrai tout de suite. »

Accoudés au rebord de la fenêtre, leurs têtes se touchant presque, Raymond et Carol Boynton laissaient leurs regards errer dans le bleu sombre de la nuit.

Visiblement agité, Raymond Boynton répéta ce qu'il venait de dire :

— Tu vois bien qu'il faut la tuer, non ?

Carol Boynton frémit à peine. D'une voix basse et rauque, elle lâcha :

— C'est horrible.

— Pas plus horrible que la vie que nous menons.

— Sans doute, mais...

— Ça ne peut pas continuer comme ça ! jeta Raymond. Ça n'est plus possible !... Il faut que nous fassions quelque chose !... Et je ne vois pas ce que nous pourrions faire d'autre !...

— Si nous trouvions un moyen de nous échapper..., hasarda Carol, consciente de son manque de conviction.

— Il n'y a pas moyen, murmura-t-il d'un ton morne. Tu le sais bien, Carol, qu'il n'y a pas moyen...

La jeune fille frissonna :

— Je sais, Ray... Je sais...

Raymond Boynton éclata d'un rire bref et grinçant :

— Même pas capables de ficher le camp... N'importe qui dirait que nous sommes cinglés.

— Peut-être que... Peut-être que nous sommes bel et bien cinglés, souffla Carol.

— Ce n'est pas exclu... Non, ce n'est pas exclu... De toute façon, nous le serons bientôt... Et à nous entendre là nous préparer froidement à tuer notre propre mère, la plupart des gens estimeraient que c'est déjà le cas.

— Ce n'est pas notre vraie mère ! protesta Carol.

— Non, c'est exact.

Ils se turent un moment, puis Raymond reprit, comme s'il s'agissait de la pluie et du beau temps :

— Tu es d'accord, Carol ?

— Oui... Je pense qu'elle doit mourir, répondit Carol sans la moindre émotion elle non plus.

Puis, soudain, elle éclata :

— Elle est folle à lier !... Je suis sûre qu'elle est folle à lier !... Si... si elle était saine d'esprit, elle ne nous torturerait pas de cette façon-là !... Ça fait des années que nous répétons : « Ça ne peut pas continuer comme ça ! », et ça continue !... Des années que nous disons : « Elle va bien finir par mourir ! »... Mais elle n'est toujours pas morte !... J'en arrive à penser qu'elle ne mourra jamais, à moins que...

— *A moins que nous nous chargions de la tuer...,* acheva Raymond, impassible.

Les mains de la jeune femme se crispèrent sur la barre d'appui :

— Oui.

— Tu comprends pourquoi ce ne peut être que l'un de nous deux, non ? poursuivit son frère sur un

9

ton paisible en apparence mais avec dans la voix des tremblements qui trahissaient son exaltation. En ce qui concerne Lennox, il faut tenir compte de Nadine... Et il n'est pas question de mettre Jinny dans le coup.

La jeune femme fut saisie d'un frisson :

— Pauvre Jinny... J'ai si peur pour elle...

— Je sais !... Ça va de plus en plus mal, hein ?... C'est pour ça qu'il faut faire quelque chose très vite... Avant qu'elle ne sombre...

Se redressant d'un mouvement brusque, Carol rejeta en arrière les boucles de cheveux châtains qui lui cascadaient sur le front.

— Ray, demanda-t-elle, tu ne crois pas que c'est *mal*, n'est-ce pas ?

— Non, répliqua-t-il sans la moindre passion, je pense que c'est comme de tuer un chien enragé... Comme un cataclysme auquel il faut bien mettre fin. Et c'est la seule manière d'y mettre fin...

— Mais on nous... on nous enverra quand même à la chaise électrique, murmura Carol. Je veux dire... on ne pourra jamais expliquer comment elle était, ce qu'elle nous faisait... Ça paraîtra incroyable... Tu comprends, d'une certaine façon, c'est *dans nos têtes* que ça se passe...

— Personne ne saura jamais rien, répliqua Raymond. J'ai un plan. Je l'ai tourné et retourné dans tous les sens. Nous ne risquons rien.

Carol se fit brusquement agressive :

— Ray... je ne sais pas comment... mais tu as changé. Il t'est arrivé quelque chose... Qui est-ce qui t'a fourré tout ça dans le crâne ?...

— Pourquoi crois-tu qu'il ait pu m'arriver quelque chose ?

Il s'était détourné, le regard perdu dans la nuit.

— Je sais ce que je dis, Ray. C'est... c'est cette fille, dans le train ?

— Mais non, bien sûr que non !... Qu'est-ce que ça a à voir ? Oh, Carol, ne dis pas de bêtises... Revenons-en à...

— A ton plan ?... Tu es sûr que c'est un bon plan ?...

— Oui. Je crois... Evidemment, il va falloir attendre le moment favorable. Mais alors là — si tout se passe bien — nous serons libres... Tous !

— Libres ? soupira Carol.

Elle leva les yeux vers le firmament. Et, soudain, des sanglots la secouèrent de la tête aux pieds.

— Carol, qu'est-ce qui te prend ?

— C'est si beau, hoqueta-t-elle. Cette nuit... la profondeur du ciel... les étoiles... Si seulement nous pouvions vivre dans cet univers-là... Si seulement nous étions comme tout le monde, au lieu d'être ce que nous sommes : complètement timbrés, détraqués, malades.

— Mais je t'assure que... que tout s'arrangera quand... Quand elle sera morte !...

— Tu en es *sûr* ?... Il n'est pas trop tard ?... Nous ne serons pas toujours cinglés ?... Toujours des gens à part ?

— Non, non et non !

— Moi, je me le demande...

— Carol, si tu ne veux pas...

Elle repoussa le bras qu'il lui posait sur les épaules :

— Non. Je marcherai avec toi — jusqu'au bout ! A cause des autres... A cause de Jinny, surtout. Il faut sauver Jinny !

Raymond demeura un instant silencieux. Puis il articula enfin :

— Alors... notre décision est prise ?

— Oui !

— Très bien. Voici mon plan...

Il se pencha à son oreille.

2

Plantée devant la table centrale, au beau milieu du salon de lecture de l'hôtel du *Roi Salomon*, à Jérusalem, miss Sarah King, interne en médecine, feuilletait distraitement journaux et magazines. Les sourcils froncés, elle semblait préoccupée.

Le Français — âge moyen et belle prestance — qui venait de débouler du hall l'observa un instant avant de diriger ses pas de l'autre côté de la table. Quand leurs regards se croisèrent, Sarah King lui adressa un petit signe de reconnaissance. Elle n'oubliait pas que, à leur départ du Caire, il avait eu la galanterie de s'emparer d'une de ses valises alors qu'aucun porteur n'était disponible.

— Jérusalem vous plaît ? lui demanda le Dr Gérard après un échange de salutations.

— Par certains côtés, c'est assez atroce, répondit Sarah avant d'ajouter : La religion, c'est une histoire de fous, non ?...

Le Français parut amusé :

— Je vois ce que vous voulez dire, déclara-t-il dans un anglais presque impeccable. Toutes ces sectes qui se chamaillent et qui ne songent qu'à s'étriper !

— Sans parler de ces édifices abominables qu'ils ont bâtis un peu partout ! renchérit-elle.

— Là, je suis bien de votre avis.

— Et dire que, pas plus tard que ce matin, soupira Sarah, on m'a obligée à sortir d'une église parce que je portais une robe sans manches. Il faut croire que le Tout-Puissant, qui m'a pourtant donné des bras, ne les apprécie guère.

Le Dr Gérard rit, puis reprit :

— J'allais commander du café. Si vous voulez vous joindre à moi, miss ?...

— King. Sarah King...

— En ce qui me concerne... Si vous permettez..

Il lui tendit sa carte de visite. Sarah ouvrit de grands yeux pleins de respect :

— Dr Théodore Gérard ? Oh, c'est *formidable* de faire votre connaissance... J'ai lu tous vos livres, bien sûr... Vos théories sur la schizophrénie sont absolument fascinantes...

— Comment cela « tous mes livres, *bien sûr* » ? s'enquit le Dr Gérard.

— Vous comprenez, expliqua-t-elle avec un soupçon de timidité, je termine moi-même mes études de médecine. Je viens d'être reçue à l'internat.

— Oh ! je vois...

Le Dr Gérard commanda le café, et ils s'installèrent dans un coin du salon. Selon toute apparence, le docteur s'intéressait moins aux succès de Sarah dans le domaine médical qu'à la cascade de ses cheveux noirs et à la courbe sensuelle de ses lèvres. Il ne se donnait guère la peine de cacher le plaisir qu'il prenait à la voir lui vouer une admiration aussi manifeste.

— Vous allez séjourner ici longtemps ? demanda-t-il, un tantinet mondain.

— Quelques jours, c'est tout. Et puis j'ai l'intention d'aller à Pétra.

— Tiens, tiens... Je pensais y aller moi aussi, si cela ne prend pas trop de temps. Je dois être de retour sans faute à Paris le 14.

— Il faut compter une petite semaine, je crois. Deux jours pour y aller, deux jours là-bas, et deux jours pour en revenir.

— Il faudra que j'aille voir demain matin si l'agence de voyages peut m'organiser ça.

Un groupe fit son entrée et s'installa. Sarah les observa non sans un certain intérêt. Elle baissa la voix :

— Ces gens qui viennent juste d'entrer... vous les aviez remarqués dans le train, l'autre nuit ? Ils sont partis du Caire en même temps que nous...

Le Dr Gérard se vissa un monocle dans l'arcade sourcilière :

— Américains ?

— Oui, souffla Sarah, toute une famille américaine. Mais une famille plutôt bizarre, à mon humble avis.

— Bizarre ? Comment cela, bizarre ?

— Regardez-les. En particulier la femme âgée.

Avec l'acuité que donne une longue pratique, l'œil du médecin passa rapidement d'un personnage à l'autre.

Il remarqua d'abord un homme dans la trentaine, grand, mais assez dégingandé, dont le visage — séduisant au demeurant — exprimait une certaine mollesse et une curieuse apathie. Il y avait aussi deux jeunes gens d'une grande beauté — le garçon n'était pas sans évoquer un pâtre grec. « Mais il a un problème, lui aussi, pensa le médecin. Tension nerveuse : ça crève les yeux ! » Quant à la fille, elle lui ressemblait de façon si frappante qu'il s'agissait à coup sûr de sa sœur. Elle aussi paraissait très nerveuse. La dernière fille, plus jeune et couronnée de cheveux roux qui lui dessinaient comme une auréole, se montrait incapable de contrôler des mains qui n'arrêtaient pas de triturer en tous sens un mouchoir posé sur ses genoux. Le Dr Gérard porta aussi son attention sur une autre jeune femme, teint d'albâtre sous une chevelure d'ébène, au visage aussi apaisé que celui d'une Madone de Luini. Chez elle, au moins, aucun signe de nervosité !

Et puis, au centre du groupe... « Seigneur !, pensa le Dr Gérard avec toute la candeur d'un Français dont le bon goût est offensé, que voilà une horrible bonne femme ! » Vieille, bouffie, boursouflée, elle se tenait là, immobile, au milieu d'eux — sorte de vieux Bouddha difforme — araignée monstrueuse au mitan de sa toile !

— La douairière, dit-il à Sarah, elle n'est pas jolie jolie, hein ?

— Je lui trouve — je ne sais pas — quelque chose de sinistre...

Le Dr Gérard fixa à nouveau la vieille dame, avec cette fois une attention purement professionnelle :

— Hydropisie, diagnostiqua-t-il. Problèmes cardiaques...

— Oh, *ça*, bien sûr..., répliqua Sarah, d'un ton qui signifiait que ce n'était pas à quelque pathologie interne qu'elle avait voulu faire allusion. Mais vous ne trouvez pas que leur comportement à son égard est étrange ?...

— Vous savez qui sont ces gens ?

— Ce sont les Boynton. La mère, le fils aîné avec sa femme, le cadet, et deux filles.

— La famille Boynton découvre le vaste monde, ricana le psychiatre à mi-voix.

— Oui... Mais *même en cela*, ils sont étranges. Ils ne parlent jamais à personne. Et pas un n'ose lever le petit doigt si la vieille ne lui en a pas donné la permission.

— Le genre matriarcal...

— C'est le type même du tyran dans toute sa splendeur, trancha Sarah.

Haussant les épaules, le Dr Gérard fit valoir que les Américaines ont la réputation bien connue de vouloir régenter l'univers.

— Certes, mais ça va plus loin, insista la jeune femme. Elle les a tous réduits à l'état de brebis bêlantes... Elle les tient complètement sous sa coupe... C'en est... c'en est indécent !

— Il n'est pas bon pour les femmes d'avoir trop de pouvoir, concéda le psychiatre, soudain sérieux. Elles n'ont que trop tendance à en abuser.

De biais, il observa Sarah. Elle ne quittait pas des yeux la famille Boynton — ou, plutôt, elle ne quittait pas des yeux l'un de ses membres. Il esquissa un sourire complice : c'était donc ça !

— Vous leur avez parlé ?

— Oui... enfin j'ai parlé avec l'un d'eux.

— Le beau garçon — je veux dire... le plus jeune fils ?

— Oui. Dans le train. En venant d'El Kantara. Il était dans le couloir. Je suis allée lui parler.

Sarah n'était manifestement jamais refermée sur elle-même. L'humanité tout entière l'intéressait, et elle faisait preuve d'ouverture d'esprit, sinon toujours de patience.

— Qu'est-ce qui vous a poussée à lui adresser la parole ? s'enquit le Dr Gérard.

Sarah haussa les épaules :

— Pourquoi m'en serais-je privée ? Quand je voyage, je parle souvent avec les gens. Ce sont les gens qui m'intéressent... ce qu'ils font... ce qu'ils pensent... ce qu'ils ressentent...

— Vous les passez au microscope, en quelque sorte.

— On peut présenter les choses comme ça, en effet.

— Et, dans le cas précis de ce garçon, quelles ont été vos impressions ?

Elle hésita un instant :

— Eh bien... c'est assez curieux. Il a commencé par rougir jusqu'à la racine des cheveux...

— Ça vous étonne ? ironisa le Dr Gérard.

Sarah éclata de rire :

— Vous voulez dire qu'il m'aurait prise pour une gourgandine en train de lui faire des avances ? Non, je ne crois pas. Les hommes savent toujours à quoi s'en tenir, non ?

Elle le regardait dans les yeux, quêtant une confirmation. Le psychiatre acquiesça de la tête.

— En fait, reprit Sarah, sourcils froncés, j'ai eu l'impression qu'il était à la fois — comment dirais-je ? — exalté et mort de peur. Exalté au-delà de toute mesure et, en même temps, ridiculement apeuré. Et c'est cela qui ne colle pas, voyez-vous. J'ai toujours trouvé les Américains extraordinairement ouverts. Un Américain de vingt ans en connaît infiniment plus sur le monde et se montre autrement plus dégourdi qu'un Anglais du même âge. Or ce garçon doit avoir plus de vingt ans.

16

— Vingt-trois ou vingt-quatre, probablement.

— Tant que ça ?

— Je pense que oui.

— Oui... vous avez sans doute raison... Mais il paraît tout de même si jeune...

— Question d'âge mental. Persistance du facteur « puérilité ».

— Alors, j'ai raison ? Il y a vraiment chez lui quelque chose de pas normal ?

Elle se prenait un peu trop au sérieux, et il en sourit :

— Mais, ma chère petite, lequel d'entre nous peut se targuer d'être vraiment normal ? Je vous accorde cependant qu'il souffre sans doute d'une névrose quelconque.

— En relation directe avec cette horrible vieille femme, j'en mettrais ma main au feu.

Il l'examina d'un œil inquisiteur :

— Vous me semblez la détester profondément...

— Oui. Elle a... oh, elle a un regard d'une férocité !...

— Comme bien des mères, quand de séduisantes jeunes personnes plaisent à leur fils, souffla le Dr Gérard.

Agacée, Sarah haussa les épaules. Ah, ces Français ! Tous les mêmes, obsédés par le sexe ! Pourtant, en psychologue déjà avertie, elle était portée à reconnaître un substrat sexuel à la plupart des phénomènes humains, et elle laissa sa pensée suivre une pente familière.

Elle s'arracha à ses réflexions avec un sursaut : Raymond Boynton traversait la pièce pour s'approcher de la table centrale. Il s'empara d'un magazine. Quand il passa à côté de son fauteuil pour regagner sa place, elle le fixa droit dans les yeux :

— Vous avez fait beaucoup de tourisme, aujourd'hui ? demanda-t-elle.

Elle avait prononcé les premiers mots qui lui étaient passés par la tête. Ce qui l'intéressait, c'était de voir comment il réagirait.

Raymond s'arrêta à demi, rougit, frémit comme un cheval ombrageux et son regard inquiet se porta vers le groupe familial.

— Oh... euh... oui, balbutia-t-il. Certainement, je...

Et, soudain, comme s'il avait reçu un coup de cravache, il se rua vers sa famille en brandissant son magazine.

Le personnage grotesque qui ressemblait à un Bouddha tendit une main adipeuse pour s'en saisir. Le Dr Gérard ne manqua pas de noter que, ce faisant, ses yeux ne quittaient pas le visage du jeune homme. Elle émit un grognement qu'on aurait eu de la peine à prendre pour un remerciement. Puis elle tourna imperceptiblement la tête. Le médecin s'aperçut alors qu'elle tenait à présent Sarah sous le feu de son regard. Mais nul n'aurait pu, derrière ce masque dénué d'expression, deviner quelles pensées l'habitaient.

Sarah jeta un coup d'œil à sa montre.

— Il est bien plus tard que je ne croyais ! s'exclama-t-elle en se levant. Merci beaucoup de m'avoir offert ce café, docteur. Il faut que j'aille écrire quelques lettres.

Il se leva également et lui prit la main :

— J'espère que nous nous reverrons.

— Moi aussi ! Vous irez à Pétra ?

— En tout cas, je vais essayer.

Sarah le quitta sur un sourire. Son chemin, pour regagner le hall, obligeait la jeune femme à passer devant la famille Boynton.

Le Dr Gérard observait Mrs Boynton. Les yeux de cette dernière revinrent se poser sur le visage de son fils. Les regards du jeune homme et de la vieille dame se croisèrent. Au passage de Sarah, Raymond Boynton tourna la tête à demi — non pour la regarder, mais pour ne pas la voir... Un mouvement lent, contraint, comme si Mrs Boynton avait tiré sur une invisible ficelle.

De son côté, Sarah King avait remarqué cette attitude de rejet. Elle était trop jeune, et pas assez endurcie, pour n'en pas souffrir. Dire qu'ils avaient eu une conversation si animée dans le couloir de leur wagon-lit ! Ils avaient comparé leurs notes prises pendant le séjour en Egypte et s'étaient amusés des gaucheries de langage des loueurs d'ânes ou des solliciteurs qui peuplaient les rues. Sarah avait raconté comment, à un chamelier qui l'avait harcelée : « Vous, dame anglaise ou américaine ? Vous, dame anglaise ou américaine ? », elle avait rétorqué un : « Non, chinoise ! », qui, à sa grande joie, avait laissé le bonhomme interdit. Raymond Boynton, pensait Sarah, avait réagi comme un collégien plein d'entrain — entrain qui frisait peut-être un tantinet le pathétique... Et voilà maintenant que, sans le moindre motif, il se conduisait en rustaud, en grossier personnage.

— Je ne vois pas pourquoi je m'intéresserais davantage à lui ! murmura Sarah, furieuse.

Sans donner dans la vanité, la jeune femme avait une assez bonne opinion d'elle-même. Elle savait qu'elle plaisait aux hommes, et elle n'était pas du genre à essuyer platement un affront !

Peut-être s'était-elle montrée trop gentille avec ce garçon que, pour Dieu sait quelle obscure raison, elle avait eu la faiblesse de prendre en pitié ?

En tout cas, une chose était claire : ce n'était qu'un gamin mal dégrossi, mal élevé et — pour comble — américain !

Au lieu de se mettre à son courrier, comme elle l'avait annoncé, elle s'installa devant sa coiffeuse, tira ses cheveux pour dégager son front, fixa dans le miroir le regard incertain de ses yeux noisette, et tâcha de faire le point sur sa vie.

Elle émergeait à peine d'une rude crise affective. Un mois plus tôt, elle avait rompu ses fiançailles avec un jeune médecin, de quatre ans son aîné. Ils avaient éprouvé une profonde attirance mutuelle, mais leurs personnalités se ressemblaient trop. Désaccords et disputes s'étaient multipliés. Comme la plupart des femmes de tête, Sarah avait longtemps professé une vive admiration pour la force, et elle s'était toujours dit qu'elle ne pourrait aimer qu'un homme qui serait son maître. Seulement le jour où elle était tombée sur le maître en question, elle avait découvert qu'elle avait horreur de ça ! La rupture de ses fiançailles, il lui avait fallu la payer son prix de larmes et de nuits sans sommeil. Mais elle avait été assez réaliste pour accepter l'idée qu'une simple attirance mutuelle n'offre pas la garantie du bonheur. C'est pour noyer son chagrin, avant de se remettre sérieusement au travail, qu'elle avait choisi de s'offrir de passionnantes vacances à l'étranger.

En femme positive, elle abandonna le passé pour revenir au présent :

« Le Dr Gérard acceptera-t-il de discuter de ses théories avec moi ? se demanda-t-elle. Les hypothèses qu'il avance sont tellement stimulantes ! Si seulement il pouvait me considérer comme une interlocutrice valable... Peut-être — s'il vient lui aussi à Pétra... »

Et, malgré elle, elle en revint à ce rustaud de jeune Américain.

Elle avait la conviction que seule la présence de sa famille l'avait poussé à se conduire d'une manière aussi discourtoise, mais elle ne pouvait s'empêcher de lui vouer plus que du mépris : n'était-il pas du dernier ridicule — surtout pour un *homme* ! — de se soumettre à la loi d'une famille pareille ?

Et pourtant...

Un étrange sentiment l'envahit. Tout cela n'était-il pas un peu *bizarre* ?

— Ce dont ce garçon a besoin, c'est qu'on vole à son secours, affirma-t-elle tout haut à l'image que lui renvoyait son miroir. Eh bien, je m'en charge !

3

Après le départ de Sarah King, le Dr Gérard resta un long moment immobile. Puis, soudain, il se leva et se saisit, dans la pile des journaux, du plus récent numéro du *Matin*. Il revint alors prendre place dans un autre fauteuil qui lui permettrait de mieux satisfaire la curiosité que la famille Boynton éveillait en lui.

A l'origine, il s'était seulement amusé de l'intérêt que la jeune Anglaise portait à ces gens. Il avait cru pouvoir diagnostiquer que son attention se focalisait sur l'un des membres de la famille en particulier. Mais il devait bien admettre que la famille Boynton sortait de l'ordinaire et, profondément, son instinct scientifique lui dictait que les Boynton, en corps constitué, avaient de quoi passionner un psychologue.

En catimini, caché par son journal, il les passa en revue, en commençant par le jeune homme pour lequel la séduisante doctoresse d'Outre-Manche montrait un intérêt aussi patent. « Oui, pensa-t-il, voilà bien le genre d'homme pour lequel elle pourrait s'emballer. » Sarah King — du moins la jugeait-il ainsi possédait la force que confèrent un bon équilibre psychique, un esprit vif et une indomptable volonté. A l'inverse, il lui semblait que Raymond Boynton n'était qu'intuition et sensibilité — aucune confiance en soi, sans parler du fait qu'il était influençable au plus haut point. En outre, il n'était pas nécessaire d'avoir une longue pratique de la médecine pour diagnostiquer chez lui un état de grande tension. On était en droit de se demander pourquoi.

Cela surprenait le Dr Gérard : comment un homme jeune, éclatant de santé, profitant pleinement de vacances loin de son pays natal, pouvait-il se trouver ainsi à deux doigts de la dépression nerveuse ?

Il décida de tourner son attention vers les autres membres de la famille. A ne pas s'y tromper, la donzelle aux cheveux châtains était la sœur du jeune Raymond. Ils avaient la même constitution : des attaches fines, une silhouette à peindre, un port plein de noblesse. Tous deux possédaient des mains longues et diaphanes, un menton net, et un port de tête altier sur un cou dégagé. Et la jeune fille, elle aussi, était bien incapable de dominer ses nerfs... Des mouvements trop brusques, des yeux cernés aux pupilles dilatées, une voix un peu rauque, le souffle parfois court, elle était sans cesse en alerte, sur ses gardes — bien incapable de se détendre...

« Elle a peur, comme l'autre, pensa le Dr Gérard. Oui, une peur bleue... »

De son fauteuil, il surprenait des bribes de conversation. Une conversation qui paraissait normale : « Nous devrions aller voir les écuries de Salomon... » « Mais est-ce que ce ne sera pas trop pour Mère ? » « Le Mur des Lamentations demain matin... » « Le Temple, bien sûr — ou plutôt la mosquée d'Omar, comme on dit. Je me demande bien pourquoi, d'ailleurs. » « Parce qu'ils en ont fait une mosquée, Lennox. »

Du babillage de touristes. Banal. Et pourtant le Dr Gérard sentait que ces phrases à peine entendues relevaient du surréalisme. Toute cette façade camouflait quelque chose de plus important, qui menaçait de surgir — quelque chose de trop profond, de trop secret pour que qui que ce soit ose le formuler par des mots...

Toujours caché derrière son journal, il risqua un nouveau coup d'œil.

Lennox ? Ça, c'était le frère aîné, coulé dans le même moule familial, avec toutefois une différence : il ne donnait pas le moindre symptôme d'agitation, et le Dr Gérard lui attribua un tempérament bien moins nerveux. Mais il avait, cependant, sa part d'étrangeté. Au contraire des deux autres, on ne discernait en lui aucun signe de tension musculaire. Il demeurait assis immobile, atone. Incrédule, le Dr Gérard tenta de le comparer à d'autres patients qu'il avait eu l'occasion d'examiner.

« Il *n'en peut plus*, finit-il par penser. Oui, il n'en peut plus de souffrance. Il suffit de voir son regard — un regard de chien battu, de cheval en bout de course — la douleur muette d'un animal... Ça, c'est vraiment étrange... Physiquement, il ne semble pas y avoir de problème... Et pourtant, sans aucun doute, ce garçon a enduré il y a peu de grandes souffrances — des souffrances psychiques... Et, maintenant, il ne souffre plus — il attend en silence —, il attend le coup de grâce, je pense. Mais quel coup de grâce ? Tout cela ne serait-il que le fruit de mon imagination ? Non, non, cet homme attend. Il attend la fin. Comme ces cancéreux immobiles dans leur lit, trop heureux quand un calmant apaise un peu leurs douleurs... »

Lennox Boynton se leva pour ramasser une pelote de laine que la vieille femme avait laissée tomber :

— Tenez, Mère.

— Merci.

Le Dr Gérard se demanda ce que ce Bouddha impassible et hiératique pouvait bien tricoter. Un ouvrage épais, grossier, à n'en pas douter. « Des mitaines pour les pensionnaires d'un hospice », se dit-il. Cette idée le fit sourire.

Il se tourna vers la plus jeune des filles, aux cheveux d'un extraordinaire blond-roux. Elle devait avoir dans les dix-neuf ans. Des rousses, elle possédait le teint, d'une exquise pâleur. Quoique émacié, son visage était ravissant. Elle paraissait se sourire à elle-même, d'un sourire irréel, perdu dans l'infini, bien loin de Jérusalem et de l'hôtel du *Roi Salomon*... En un éclair, le Dr Gérard sut qu'il évoquait pour lui le sourire inspiré par les dieux qui fleurit sur les lèvres des cariatides de l'Acropole d'Athènes... Un sourire lointain, délicieux, inhumain peut-être. Le Dr Gérard se sentit transporté par la magie silencieuse de ce sourire.

Et, soudain, en remarquant les mains de la jeune fille, il éprouva un choc. Une table ronde les dissimulait aux yeux de sa famille, mais il était, lui, en mesure de les voir. Au creux de ses genoux, elles déchiraient en menus morceaux un fin mouchoir...

Le Dr Gérard fut saisi d'horreur : ce sourire solitaire et lointain, ce corps tranquille, et ces mains acharnées à détruire...

4

Sans interrompre son tricot, Mrs Boynton, plus hiératique que jamais, émit une longue toux sifflante d'asthmatique avant de prendre la parole.

— Tu es fatiguée, Ginevra, dit-elle. Tu ferais bien d'aller te coucher.

La jeune fille sursauta. Ses mains lâchèrent leur besogne machinale :

— Je ne suis pas fatiguée du tout, Mère.

Le Dr Gérard apprécia en expert la musicalité de sa voix dont les subtiles modulations transformaient le plus anodin des propos en une mélopée presque magique.

— Mais si. Je te dis que tu es fatiguée. Tu sais bien que je ne me trompe jamais. Tu seras incapable de visiter quoi que ce soit demain.

— Oh, mais non !... Je suis en pleine forme.

La voix de Mrs Boynton s'éleva à nouveau, épaisse, rugueuse, et cependant ricanante :

— Tu n'es pas en forme du tout. Tu couves une maladie.

— Non !... Non !...

La jeune fille semblait saisie d'un tremblement irrépressible.

Une voix douce et calme intervint dans la conversation :

— Je monte avec toi, Jinny.

La jeune femme aux grands yeux gris pensifs et à la chevelure d'ébène sagement coiffée s'était levée.

— Non ! cracha Mrs Boynton. Laissez-la monter seule !

— Je veux que Nadine vienne avec moi ! sanglota la jeune fille.

— Je viens, bien sûr.

La jeune femme fit un pas en avant.

— Je suis persuadée que la petite préfère monter toute seule, reprit Mrs Boynton. N'est-ce pas, Jinny ?

Il y eut un silence. Un long silence. Puis Ginevra Boynton finit par lâcher, d'un ton morne :

— Oui... C'est mieux comme ça... Merci, Nadine.

Et elle s'en fut, grande silhouette anguleuse qui évoluait avec une étonnante harmonie...

Le Dr Gérard baissa son journal pour mieux observer Mrs Boynton. Elle suivait sa fille du regard. Un sourire bizarre plissait ses traits adipeux — caricature lointaine de celui qui, quelques instants auparavant, illuminait le visage de Jinny.

Son regard, la vieille femme le reporta bientôt sur Nadine. Cette dernière, qui venait de se rasseoir, affronta sans broncher ses yeux malveillants de vieillarde autoritaire.

« Comment un vieux tyran pareil peut-il bien exister ? » se demanda le Dr Gérard.

Soudain, ce fut lui qu'elle fixa. Le médecin en eut la respiration coupée : des prunelles noires presque éteintes, enfoncées dans leurs orbites, mais qui dégageaient une force négative, un pouvoir maléfique. Le Dr Gérard savait tout de ce que peut une vraie personnalité. Il comprit sur-le-champ que Mrs Boynton n'avait rien d'une invalide trop gâtée qui meuble sa vie de médiocres caprices. Elle était forte. La méchanceté qu'il pouvait lire dans ses yeux évoquait un cobra. Agée, impotente, en proie à la maladie, Mrs Boynton n'en était pas, malgré tout, réduite à l'impuissance. C'était une femme qui savait, pour l'avoir exercé toute sa vie, ce qu'était le pouvoir, et qui, jamais, n'avait douté de sa force.

Le Dr Gérard avait eu une fois l'occasion d'assister au numéro, spectaculaire et extrêmement risqué, d'une dompteuse de tigres. Les grands fauves aux allures fuyantes avaient quasiment rampé jusqu'aux places qui leur étaient assignées et avaient accompli sans broncher leurs tours dégradants, humiliants. La braise de leurs yeux, leurs feulements étouffés exprimaient une haine implacable. Subjugués cependant, ils avaient obéi à leur maîtresse. C'était une jeune femme brune à la beauté arrogante. Mais elle possédait ce même regard.

« C'est une dompteuse », se dit le Dr Gérard.

Il comprenait maintenant le torrent de haine souterraine que cachait la banale conversation familiale qu'il avait surprise.

« Le commun des mortels s'empresserait de décréter que je perds la boussole ! se dit-il. Enfin voyons : voilà une famille américaine moyenne, tendrement unie, qui passe de joyeuses vacances en Palestine... et, moi, j'en fais des suppôts de Satan ! »

Il tourna alors son attention vers la calme jeune femme qui se prénommait Nadine. A l'annulaire gauche, elle portait une alliance, et il la vit jeter un coup d'œil à la dérobée vers Lennox, le beau blond avachi. Tout devenait clair...

Ces deux-là étaient mari et femme. Mais c'est comme une mère, anxieuse, protectrice, qu'elle le considérait.

Et la clarté se fit sur un autre point : il comprit que, seule de la famille, Nadine Boynton échappait aux maléfices de sa belle-mère. Sans doute n'aimait-elle pas la vieille femme, mais elle n'en avait pas peur. Son pouvoir ne s'étendait pas sur elle.

Nadine Boynton n'était pas heureuse. Elle se tourmentait pour son mari. Mais elle était libre.

— Tout cela est bien intéressant, siffla entre ses dents le Dr Gérard.

5

L'irruption dans le salon d'un être d'un modèle heureusement plus courant apporta un répit inattendu au médecin perdu dans ses sombres pensées.

C'était un Américain d'âge moyen, d'aspect des plus sympathiques mais dépourvu du moindre signe particulier. Visage allongé, rasé de près, il était vêtu avec recherche. A peine eut-il aperçu les Boynton qu'il se dirigea vers eux.

— Je vous cherchais partout ! fit-il d'une voix chaude et posée, quelque peu monocorde.

Cérémonieux, il serra l'une après l'autre les mains tendues avant de reprendre :

— Comment vous portez-vous, Mrs Boynton ? Pas trop fatiguée par ce voyage ?

— Non, je vous remercie, souffla-t-elle avec une courtoisie distante. Ma santé n'est jamais très brillante, vous le savez...

— Je compatis... Je compatis...

— Mais enfin mon mal n'empire pas.

Elle ajouta, avec un sourire vipérin :

— D'ailleurs, notre chère Nadine prend le plus grand soin de moi. N'est-ce pas, Nadine ?

— Je fais de mon mieux, répliqua la jeune femme, impassible.

— Ça, j'en suis tout à fait convaincu, affirma le nouveau venu avec chaleur. Eh bien, Lennox, que pensez-vous de la ville du roi David ?

— Bof ! je n'en sais rien.

Lennox avait répondu d'un ton vague, apathique : la question ne présentait manifestement pour lui aucun intérêt.

— Vous trouvez ça un peu décevant, n'est-ce pas ? Je dois reconnaître que ç'a été ma première impression. Mais vous n'avez peut-être pas encore vu grand-chose ?

— Nous sommes un peu bloqués à cause de Mère, expliqua Carol Boynton.

— Vous comprenez, renchérit Mrs Boynton, je ne peux guère me promener plus de deux ou trois heures par jour.

— C'est déjà merveilleux de pouvoir faire tout ce que vous faites, Mrs Boynton ! la félicita le nouveau venu.

La vieille dame eut un petit rire grinçant dans lequel on ne pouvait pas ne pas discerner une certaine perversité :

— Je refuse de m'abandonner à mes petites misères ! C'est *la volonté* qui compte ! Oui, la volonté...

Sa voix s'éteignit. Le Dr Gérard nota que Raymond Boynton réprimait un sursaut nerveux.

— Etes-vous déjà allé au Mur des Lamentations, Mr Cope ? demanda le jeune homme.

— Oui, évidemment ! C'est l'un des premiers endroits où je me suis rendu ! En fait, j'espère voir à fond Jérusalem en quelques jours, et, après ça, je demanderai à l'agence Cook de m'organiser une visite complète de la Terre Sainte : Bethléem, Nazareth, Tibériade, le lac de Génésareth. Tout ça sera bigrement intéressant. Et puis il y a aussi Jérash : des ruines remarquables — romaines... Et j'ai très envie de jeter un coup d'œil à Pétra, la cité des pierres roses et rouges — une curiosité naturelle tout à fait étonnante, à ce que l'on m'a dit... dans un coin à l'écart de tout. Mais il faut quasiment une semaine pour faire l'aller et retour et la visiter convenablement.

— J'aimerais bien y aller, intervint Carol. Rien qu'à vous entendre ça a l'air merveilleux.

— A mon avis, ça vaut sûrement le coup. Oui, ça vaut sûrement le coup.

Mr Cope marqua un temps d'arrêt et lança à Mrs Boynton un regard dubitatif. Le ton emprunt d'hésitation sur lequel il poursuivit n'échappa pas à l'oreille du Dr Gérard :

— Je me demande si je n'arriverais pas à persuader quelques-uns de vos enfants de m'accompagner... Il va de soi, Mrs Boynton, que, pour *vous*, ce n'est pas possible, et que certains des vôtres souhaiteront rester à vos côtés — mais, si vous acceptiez, pour ainsi dire, de diviser vos forces...

Nouveau temps d'arrêt. Silence brisé seulement par le cliquetis régulier des aiguilles à tricoter de Mrs Boynton.

— Je pense que nous ne souhaitons guère nous séparer, dit-elle enfin. Nous formons un groupe très soudé. Voyons, mes enfants, qu'en dites-vous ?

Le ton de sa question avait d'étranges consonances. Il y fut répondu par un concert de « Oh non, Mère ! » « Mais non, voyons ! » « Bien sûr que non ! »

Mrs Boynton afficha son sinistre sourire :

— Vous voyez, dit-elle. Ils ne veulent pas me quitter. Et vous, Nadine ? Vous n'avez rien dit !

— Moi non plus, Mère, je vous remercie. A moins que ça ne fasse plaisir à Lennox...

Avec lenteur, Mrs Boynton se tourna vers son fils :

— Eh bien, Lennox, qu'en penses-tu ? Pourquoi n'iriez-vous pas, Nadine et toi ? Elle a l'air d'en mourir d'envie.

Lennox sursauta, regarda autour de lui :

— Je... euh... enfin, je... non, je crois qu'il vaut mieux que nous restions ensemble.

— Vous formez vraiment une famille *très* unie ! s'écria cordialement Mr Cope.

Mais sa cordialité sonnait faux. Elle paraissait forcée.

— Nous aimons à rester entre nous, souligna Mrs Boynton en commençant de rouler sa pelote de laine. A propos, Raymond, qui est cette jeune femme à qui tu as parlé tout à l'heure ?

Agité de tremblements spasmodiques, Raymond rougit, puis blêmit :

— Je... je ne sais pas son nom. Elle... elle était dans le train, l'autre nuit.

Mrs Boynton entama ses préparatifs pour s'extraire de son fauteuil.

— Je ne crois pas que nous aurons beaucoup affaire à elle, trancha-t-elle.

Nadine se leva pour aider sa belle-mère à se mettre debout. Elle le fit avec des gestes d'une précision quasi professionnelle qui attirèrent l'attention du Dr Gérard.

— Il est temps d'aller au lit, annonça Mrs Boynton. Bonne nuit, Mr Cope.

— Bonne nuit, Mrs Boynton. Bonne nuit, Mrs Lennox.

La famille Boynton s'en fut — en procession. Aucun des enfants ne semblait avoir conçu seulement l'idée qu'il pourrait rester en arrière.

Mr Cope les suivit du regard. Un regard étrange.

D'expérience, le Dr Gérard savait que les Américains, toujours prêts à entamer la conversation, ignorent la méfiance dont fait preuve en voyage tout Britannique qui se respecte. Il n'éprouva donc aucune difficulté à faire la connaissance de Mr Cope qui, par surcroît, se sentait esseulé et, en bon Américain, recherchait une compagnie.

Encore une fois, le Dr Gérard sortit sa carte de visite, qui impressionna vivement Mr Cope :

— Dr Gérard ! Mais non, je ne me trompe pas ! Vous êtes bien venu aux Etats-Unis il n'y a pas si longtemps !

— A l'automne dernier. J'ai fait des conférences à Harvard.

— Mais bien sûr ! Je sais, docteur, que vous êtes une des sommités de la psychiatrie, à Paris et dans le monde !

— Allons, allons, cher monsieur, vous exagérez !

— Non, non, c'est un privilège pour moi que de vous rencontrer. Il semble d'ailleurs qu'un grand nombre de personnalités se soient donné rendez-vous à Jérusalem. Vous, naturellement, mais aussi lord Welldon, et puis sir Gabriel Steinbaum, le financier. Et il y a encore sir Manders Stone, le ponte de l'archéologie. Et puis aussi lady Westholme, qui joue un grand rôle dans la vie politique anglaise. Et enfin Hercule Poirot, le célèbre détective belge.

— Le petit Hercule Poirot ? Il est ici ?

— Oui. J'ai lu dans le journal du coin qu'il était arrivé tout récemment. J'ai vraiment l'impression que le ban et l'arrière-ban sont descendus au *Roi Salomon*. Un bien bel hôtel, je dois l'avouer. La décoration est d'un raffinement !

A l'évidence, Mr Jefferson Cope semblait aux anges. Quant au Dr Gérard, il était capable — pour peu qu'il lui en prenne l'envie — de déployer des trésors de charme. Les deux compères ne tardèrent donc guère à se diriger de concert vers le bar.

Après un ou deux verres, le Dr Gérard se risqua à poser la question qui lui brûlait les lèvres :

— Dites-moi, ces gens auxquels vous parliez, c'est une famille américaine typique ?

Jefferson Cope sirota son cocktail d'un air méditatif :

— Non, voyez-vous, « typique » n'est pas vraiment le qualificatif que j'emploierais.

— Non ? J'avais pourtant le sentiment de voir une famille très unie.

— Vous voulez dire qu'ils paraissent tous graviter autour de Mrs Boynton ? Je dois reconnaître que ce n'est pas faux. Vous savez, c'est une vieille dame tout à fait étonnante.

— Vraiment ?

Mr Cope n'avait pas besoin d'autre encouragement pour exprimer ce qu'il avait sur le cœur :

— Autant vous prévenir tout de suite, docteur, que ces gens-là me préoccupent beaucoup depuis quelque temps. Je pense énormément à eux. J'ose même dire que cela me soulagerait de vous en parler. A moins que cela ne vous ennuie...

— Pas le moins du monde, protesta le Dr Gérard.

Lentement, les traits plissés par l'effort qu'il faisait pour exprimer le fond de sa pensée, Mr Jefferson Cope se lança :

— Je vous avouerai sans ambages que je suis un

peu inquiet. Vous comprenez, Mrs Boynton est une de mes vieilles amies. Oh, ne vous méprenez pas, ce n'est pas de Mrs Boynton mère qu'il s'agit, mais de la jeune Mrs Lennox Boynton.

— Ah oui, la charmante jeune femme brune.

— Exactement. Nadine. Nadine Boynton, docteur, est une personne délicieuse. Je l'ai connue avant son mariage, à l'hôpital où elle achevait ses études d'infirmière. Elle est venue passer des vacances chez les Boynton, et puis elle a épousé Lennox.

— Ah bon ?...

Mr Jefferson Cope se donna le loisir d'avaler quelques gorgées.

— Il faudrait, docteur, que je vous raconte brièvement l'histoire de la famille.

— Cela m'intéresserait vivement.

— Voyez-vous, Elmer Boynton, le père — c'était un personnage de tout premier plan, mais aussi un homme délicieux —, s'est marié deux fois. Sa première femme est morte alors que Carol et Raymond étaient encore au biberon. D'après ce que je me suis laissé dire, la seconde Mrs Boynton, encore que plus toute jeune, était d'une grande beauté quand il l'a épousée. A la voir maintenant, on a peine à imaginer qu'elle ait jamais pu être jolie, mais je le tiens pourtant de source sûre... Bref, Elmer Boynton ne jurait que par elle et se rangeait à presque tous ses avis. Tout au long des années de maladie qui ont précédé son décès, c'est elle, en fait, qui a tenu la barre. C'est une femme intelligente, qui possède un sens inné des affaires. Et très scrupuleuse aussi, par-dessus le marché. Après la mort d'Elmer Boynton, elle s'est corps et âme consacrée aux enfants. L'une des filles, d'ailleurs, était d'elle : Ginevra — une jolie petite rouquine, un peu fragile... Enfin, comme je vous le disais, Mrs Boynton s'est vouée à sa famille. Le problème, c'est qu'elle l'a dans le même temps radicalement coupée du monde. Je ne sais pas ce que vous en pensez, docteur, mais je ne trouve pas que ce soit très raisonnable.

— Je suis d'accord avec vous. Cela peut nuire gravement au développement de la personnalité.

— Docteur, vous avez très précisément exprimé le fond de ma pensée. Mrs Boynton a dressé un rempart entre les enfants et le monde extérieur, et ne leur a jamais permis de nouer des amitiés ou des contacts en dehors du cercle familial. Résultat : en grandissant... enfin... ils ne sont pas très solides — plutôt hypersensibles, si vous me suivez. Incapables de se faire des amis. Ce n'est pas bon, ça.

— Pas bon du tout, non.

— Je suis convaincu que Mrs Boynton n'avait aucune intention mauvaise. Elle les a trop couvés, c'est tout.

— Ils vivent tous ensemble ?

— Oui.

— Et aucun des deux fils ne travaille ?

— Eh bien, non. Elmer Boynton était riche. Il a laissé l'usufruit de toute sa fortune à Mrs Boynton, à condition qu'elle subvienne aux besoins de l'ensemble de la famille.

— Autrement dit, sur le plan financier, les enfants dépendent d'elle ?

— Tout à fait. Et elle les a vivement incités à rester à la maison et à ne pas chercher de travail. Après tout, peut-être que tout va pour le mieux... C'est l'argent qui manque le moins, et ils n'ont pas besoin de travailler pour vivre. Mais je suis tout de même de l'avis que, au moins pour les hommes, le travail est un stimulant. Et puis il y a encore autre chose... Ils n'ont aucun dérivatif. Ils ne jouent pas au golf. Ils ne font partie d'aucun club. Ils ne vont jamais à la moindre soirée dansante. Ils ne rencontrent pas de gens de leur âge. Ils vivent dans leur grande baraque, en pleine campagne, à des lieues de quoi que ce soit. Je vous le dis, docteur, tout cela me semble fou.

— Je partage votre opinion.

— Vous comprenez, aucun d'entre eux n'a le moindre sens social. L'esprit communautaire, voilà ce qui leur manque ! Qu'ils forment une famille étroitement unie, ça ne fait guère de doute... Mais, pour moi, ils sont surtout prisonniers les uns des autres.

— Et aucun d'entre eux n'a jamais songé à prendre la tangente ?

— Pas que je sache. Ils ne bougent pas d'un poil.

— A votre avis, ce sont eux, les responsables, ou bien c'est Mrs Boynton ?

Mal à l'aise, Jefferson Cope se tortilla sur son tabouret :

— Eh bien, en un sens, je crois que c'est elle qui est plus ou moins responsable. Elle ne les a pas élevés comme il faut. D'un autre côté, quand un garçon arrive à l'âge adulte, c'est quand même à lui de choisir sa vie et de ne pas rester dans les jupes de sa mère. Il faut savoir devenir indépendant.

— Cela peut se révéler impossible, fit observer le Dr Gérard.

— Comment ça, impossible ?

— Il existe des méthodes pour empêcher un arbre de pousser, Mr Cope.

Jefferson Cope en resta abasourdi :

— Mais ils sont tous en pleine forme, docteur.

— Le développement de la personnalité, tout comme celle du corps, peut être bloqué ou modifié.

— Mais ils sont tous très intelligents ! s'insurgea Mr Cope. Non, docteur, moi, je crois fermement qu'un homme doit savoir prendre sa vie en main. Un homme qui a de l'amour-propre se bat pour construire son existence. Il ne reste pas dans son coin à se tourner les pouces. Pas une femme ne pourrait respecter un homme comme ça !

Le médecin porta sur son interlocuteur un œil inquisiteur :

— Je suppose que c'est là une pierre dans le jardin de Mr Lennox Boynton ?

— Eh bien oui, c'est à Lennox que je pensais. Raymond, lui, ce n'est encore qu'un gamin. Mais Lennox a trente ans. Il serait temps qu'il montre ce qu'il a dans le ventre.

— J'imagine que la vie de sa femme n'est pas rose tous les jours.

— Bien sûr que non, elle n'est pas rose ! Nadine est une femme exceptionnelle. Je l'admire plus que je ne saurais dire. Elle ne se plaint jamais. *Mais elle n'est pas heureuse !* En fait, elle est malheureuse comme les pierres.

Le Dr Gérard hocha la tête :

— Je vous crois volontiers.

— Docteur, je ne sais pas ce que vous en pensez. Mais moi, je crois qu'il y a des limites à ce qu'une femme peut supporter ! Si j'étais à sa place, je mettrais à ce zombi de Lennox le marché en main. Ou bien il se secoue et montre de quoi il est capable, ou alors...

— Ou alors elle le quitte — c'est ce que vous voulez dire ?

— Elle a le droit de vivre sa vie, docteur. Et si Lennox ne sait pas apprécier sa femme à sa juste valeur, il se trouvera bien d'autres hommes qui le sauront.

— Vous, par exemple ?

L'Américain rougit, puis porta sur le médecin un regard empreint d'infiniment de dignité :

— C'est vrai. Je ne vois pas pourquoi je me gênerais pour le reconnaître. Je la respecte, et elle compte beaucoup pour moi. Tout ce que je veux, c'est son bonheur. Et si elle était heureuse avec Lennox, croyez-moi, je saurais m'éclipser sur la pointe des pieds.

— Mais dans les circonstances présentes ?

— Dans les circonstances présentes, j'attends ! Si elle a besoin de moi, je suis là.

— Bref, vous vous conduisez en parfait gentilhomme, dit doucement le Dr Gérard.

— Je vous demande pardon ?

— Cher monsieur, de nos jours, l'esprit chevaleresque ne se rencontre plus guère qu'aux Etats-Unis ! Comme un preux chevalier, vous servez votre dame sans attendre la moindre récompense ! Voilà qui est admirable ! Mais qu'espérez-vous pouvoir faire pour elle ?

— Je veux seulement me tenir disponible, au cas où elle aurait besoin de moi.

— Permettez-moi une question. Quelle est l'attitude de Mrs Boynton mère à votre égard ?

— On ne sait jamais très bien où on en est avec elle... Je vous l'ai déjà dit : elle écarte les étrangers. Et, cependant, avec moi, elle est différente. Elle se montre courtoise en toutes circonstances et me traite quasiment comme un membre de la famille.

— Autrement dit, elle approuve les sentiments que vous portez à Mrs Lennox ?

— Oui.

Le Dr Gérard secoua ses larges épaules :

— N'est-ce pas un tout petit peu ambigu ?

— Docteur, je puis vous assurer que mes sentiments sont tout ce qu'il y a d'honorables ! se hérissa Mr Cope. Et parfaitement platoniques !

— Je n'en doute pas, cher monsieur. Mais je persiste : encourager votre flamme pour sa bru constitue, de la part de Mrs Boynton, un comportement à tout le moins équivoque. Savez-vous que cette vieille dame commence à m'intéresser au plus haut point ?

— Je vous concède qu'elle n'est pas banale. Une grande force de caractère — une personnalité qui en impose. Et, comme je vous l'ai dit, Elmer Boynton avait la plus grande confiance en son jugement.

— Au point, sur le plan financier, de laisser ses propres enfants totalement sous sa coupe. Dans mon pays, Mr Cope, la loi l'interdit.

Jefferson Cope descendit de son tabouret :

— Dans mon pays à moi, docteur, nous croyons que la liberté est la valeur suprême.

Nullement impressionné, le Dr Gérard quitta son siège à son tour. Bien des gens lui avaient déjà tenu le même discours. L'illusion selon laquelle la liberté serait l'apanage d'une nation n'est que trop répandue.

Lui, il n'était pas près de s'y laisser prendre. La vie

lui avait appris qu'il n'est nulle race, nul pays et nul individu qu'il soit possible de considérer comme vraiment libre. Mais il savait aussi qu'il est des degrés dans l'esclavage.

Le Dr Gérard gagna sa chambre, pensif, et l'esprit aux aguets.

6

Le lendemain matin, Sarah King commença sa journée par l'enceinte du Temple, le Haramesh-Chérif. Tout d'abord, elle tourna le dos à la Coupole du Rocher, laissant ses oreilles s'emplir du murmure des fontaines. Çà et là déambulaient des groupes de touristes sans que l'ambiance essentiellement orientale du lieu en soit pour autant troublée.

« Comme c'est étrange ! pensait-elle. Dire qu'autrefois, les Jébuséens ont utilisé ce plateau rocheux comme aire à battre le grain, que le roi David a dû le leur acheter au prix de six cents sicles d'or pour y bâtir le Saint des Saints... et qu'aujourd'hui, on peut y entendre le bavardage de visiteurs de toutes les nations. »

Se retournant, Sarah contempla la mosquée édifiée sur le même emplacement. Elle se demanda si le temple du roi Salomon, du temps de sa splendeur, atteignait un tel degré de perfection.

Un bruit de pas attira son attention. Un petit groupe sortait de la mosquée : c'était la famille Boynton au grand complet, ou presque, accompagnée d'un *drogman* particulièrement prolixe. Mrs Boynton s'appuyait sur Lennox et Raymond, que suivaient Nadine et Mr Cope. Carol fermait la marche et, au passage, elle aperçut Sarah.

Elle parut hésiter puis, soudain, elle traversa sans bruit l'esplanade.

— Excusez-moi, lança-t-elle, le souffle court. Il faut... enfin, je crois qu'il faut que je vous parle.

— Oui ?

Carol, blême, était secouée d'un violent tremblement :

— C'est à propos... de mon frère. Quand vous... quand vous avez essayé de lui parler, hier soir, vous l'avez sans doute trouvé parfaitement grossier. Mais il ne voulait pas vous blesser. Il n'a... il n'a pas pu faire autrement. Oh, croyez-moi, je vous en supplie !

Sarah trouvait ridicule cet épisode incongru qui heurtait son orgueil et blessait son bon goût : qu'est-ce que c'était que cette fille qui se mettait à bondir pour présenter de stupides excuses au nom d'un frère qui s'était conduit comme un rustre ?

Elle fut sur le point de répliquer vertement. Mais les mots s'arrêtèrent sur ses lèvres. Elle voyait bien que tout cela sortait de l'ordinaire. Pour la jeune fille, c'était, semblait-il, une question de la plus extrême gravité. Une corde sensible — celle-là même qui l'avait poussée à faire sa médecine — vibra au cœur de Sarah et l'incita à répondre à cet appel au secours. D'instinct, elle comprenait qu'elle se trouvait en face d'un vrai problème.

— Expliquez-moi de quoi il s'agit, dit-elle de son ton le plus chaleureux.

— Dans le train, il a parlé avec vous, n'est-ce pas ?

Sarah hocha la tête :

— Oui. Enfin, c'est plutôt moi qui lui ai parlé.

— Bien sûr. Le contraire eût été impossible. Mais, voyez-vous, hier soir, Raymond a eu peur...

— Peur ?

Carol vira à l'écarlate :

— Je sais que ça a l'air absurde... insensé. Vous comprenez, ma mère est... elle n'est pas très bien... et elle n'aime pas que nous nous fassions des amis. Mais je sais que Ray aimerait... aimerait beaucoup que vous deveniez amis.

Sarah sentit son intérêt grandir. Mais, déjà, Carol reprenait en toute hâte :

— Je... je sais que ce que je vous dis peut paraître idiot, mais nous formons une famille... assez bizarre.

Elle jeta alentour un regard apeuré :

— Je... je ne peux pas rester. Ils vont me chercher.

Sarah se décida très vite :

— Si vous en avez envie, pourquoi ne resteriez-vous pas ? Nous rentrerions à l'hôtel ensemble.

Carol eut un mouvement de recul :

— Oh non !... Je ne peux pas faire ça.

— Mais enfin, pourquoi pas ?

— C'est absolument impossible. Ma mère serait... elle serait...

Sarah la fixa avec une sorte de sévérité amicale :

— Je sais que, pour les parents, il n'est quelquefois pas commode d'admettre que leurs enfants ont grandi. Et qu'ils essaient de continuer à décider de leur vie. Mais, voyez-vous, ce serait un trop grand gâchis de les laisser faire ! Il faut savoir se battre pour sa liberté.

— Vous ne comprenez pas, murmura Carol en se tordant les mains. Vous ne comprenez pas du tout.

— Quelquefois, continua Sarah, on cède parce qu'on veut éviter les scènes. Et c'est vrai que les scènes peuvent être extrêmement désagréables. Mais se battre pour son émancipation, cela en vaut toujours la peine.

Carol la fixa, surprise :

— La liberté ? L'émancipation ? Mais aucun de nous n'a jamais été libre et ne sera jamais émancipé.

— Quelle absurdité ! s'exclama Sarah.

Carol lui prit le bras :

— Ecoutez. Il *faut* que vous compreniez ! Avant son mariage, ma mère — en fait, c'est ma belle-mère — était surveillante dans une prison. C'est mon père qui en était le directeur, et il l'a épousée. Et depuis, *ç'a toujours été comme ça* ! Elle est restée la surveillante qu'elle était — mais c'est nous qu'elle surveille. C'est pour ça que notre vie... c'est comme d'être en prison !

De nouveau, elle regarda autour d'elle :

— Ils vont s'apercevoir de mon absence. Je... il faut que j'y aille.

Sarah lui saisit le coude :

— Un instant. Il faut qu'on se revoie pour parler de tout ça.

— Je ne peux pas. Je n'en trouverai jamais le moyen.

Le ton de Sarah King se fit tranchant :

— Bien sûr que si. Ce soir, quand vous serez montée vous coucher, rejoignez-moi dans ma chambre. C'est la 319. N'oubliez pas : la 319.

Elle relâcha sa prise. Et Carol s'élança à la poursuite de sa famille.

Sarah, pensive, suivit la jeune fille des yeux. La présence soudaine du Dr Gérard à ses côtés l'arracha à sa rêverie :

— Bonjour, miss King. Ainsi, vous discutiez avec miss Carol Boynton ?

— Oui, nous venons d'avoir une conversation ahurissante.

Elle se mit en devoir de rapporter au Français l'essentiel de leurs propos. Un point retint l'attention du Dr Gérard :

— Ce vieil hippopotame était surveillante de prison ? Très significatif, ça, dites-moi !

— Vous voulez dire que cela explique son côté tyrannique ? Qu'elle a, si je puis dire, conservé son comportement professionnel ?

De la tête, le Dr Gérard marqua son désaccord :

— Non. Ce n'est pas sous cet angle qu'il faut voir les choses. Attachons-nous aux pulsions profondes. Mrs Boynton n'exerce pas un pouvoir tyrannique *parce qu'elle a été surveillante de prison*. Disons, au contraire, *qu'elle a choisi de devenir surveillante de prison parce que l'exercice du pouvoir absolu la fascine*. Pour moi, c'est la volupté inconsciente qu'elle éprouve à tyranniser ses semblables qui l'a conduite à ce métier si particulier.

Le médecin s'interrompit, le visage grave :

— Dans notre inconscient, continua-t-il, nous dissimulons les pensées les plus inavouables : notre appétit de pouvoir... notre penchant pour la cruauté... notre désir irrépressible de couper nos semblables en rondelles — tout l'héritage, en fait, que nous ont légué nos ancêtres primitifs... Tout est là, miss King : notre sauvagerie, notre cruauté, les pulsions dont nous avons honte... Oh, bien sûr, nous pouvons toujours refermer la porte du placard où nous cachons nos cadavres, et les éliminer du champ de la conscience. Mais parfois... parfois l'inconscient est le plus fort.

Sarah King frissonna :

— Je sais.

— Regardez le monde qui nous entoure — les idéologies, les dictatures. On jurerait une vraie réaction... contre l'humanisme, contre la compassion, contre les idées de fraternité et d'amour universel. Les apparences, parfois, sont séduisantes : comment ne pas croire à un régime rationnel, à des gouvernements qui n'auraient en vue que le bien du peuple ? Mais c'est la *force* qui les impose. Ces régimes règnent par la brutalité et par la peur. Les apôtres de la violence ont ouvert la boîte de Pandore à ceux qui croient à la rédemption par la cruauté. Oh, je sais, ce n'est pas facile... L'homme est un animal à l'équilibre précaire. Il n'obéit qu'à une seule nécessité : survivre. Et, dans ce domaine, il est aussi dangereux d'être trop en avance que de partir trop tard. Il lui faut survivre ! Pour ce faire, il faut peut-être que l'homme conserve un peu de sa vieille sauvagerie. Mais il ne doit jamais — je dis bien jamais — l'ériger en *vertu* !

Après avoir médité un moment ces paroles en silence, Sarah demanda au psychiatre :

— Vous estimez que la vieille Mrs Boynton a des tendances sadiques ?

— J'en suis pratiquement convaincu. Je crois qu'elle trouve sa jouissance dans les souffrances qu'elle inflige — sur le plan psychologique, bien entendu, pas sur le plan physique. C'est un cas rarissime, et très difficile à traiter. En fait, ce qu'elle aime, c'est dominer les autres, et les faire souffrir.

— N'est-ce pas là un comportement primitif ?

Le Dr Gérard jugea nécessaire de rapporter à Sarah sa conversation avec Mr Cope.

— Vous voulez dire que ce type ne se rend pas compte de ce qui se passe ? demanda-t-elle, incrédule.

— Comment le pourrait-il ? Il n'est pas psychiatre, lui !

— C'est vrai. Il n'a pas, comme nous, le cerveau complètement tordu !

— Exactement. En bon Américain, Mr Cope croit au Bien plutôt qu'au Mal. Il voit que rien ne tourne rond dans la famille Boynton — mais il crédite la vieille Mrs Boynton d'un amour excessif et maladroit, sans percevoir la virulence de sa perversité.

— Ça doit la faire bien rire.

— C'est plus que probable !

— Mais enfin, s'insurgea Sarah, exaspérée, qu'est-ce qui les retient tous de ficher le camp ? Je ne vois pas ce qui pourrait les en empêcher !

Le Dr Gérard secoua la tête :

— Là, vous vous trompez. *Ils ne peuvent pas.* Vous connaissez comme moi la vieille expérience du coq : on trace sur le sol une ligne à la craie, et on force l'animal à y coller son bec. Résultat, le coq se croit attaché et ne peut plus relever la tête. C'est pareil avec ces malheureux. N'oubliez pas qu'elle les a sous sa coupe depuis leur plus tendre enfance. Et que la domination qu'elle exerce sur eux est purement psychique. En fait, comme si elle les avait hypnotisés, elle les a conduits à s'imaginer qu'*ils ne peuvent plus lui désobéir.* Oh, je sais bien que la plupart des gens ne verraient là qu'un tissu de sornettes mais, vous et moi, nous y voyons plus clair : elle leur a fait croire qu'ils ne peuvent vivre qu'en lui obéissant, pieds et poings liés. Ils sont restés si longtemps dans leur prison que, les grilles leur en fussent-elles ouvertes, ils ne s'en apercevraient même pas ! J'en connais au moins un qui n'a même plus le désir d'être libre ! Et je sais que tous *redouteraient* la liberté.

Positive comme toujours, Sarah s'interrogeait :

— Et que se passera-t-il quand elle mourra ?

Le médecin resta dubitatif :

— Ça dépend. Ça dépend du moment où ça se produira. Si ça arrivait *maintenant* — eh bien peut-être qu'il ne serait pas trop tard. Le garçon et la fille sont encore jeunes, influençables. Je pense qu'ils pourraient redevenir des êtres humains normaux. Mais, en ce qui concerne Lennox, les choses sont, à mon avis, déjà allées trop loin. Je diagnostique en lui un homme qui a abandonné toute espérance. Comme un animal, il se contente de survivre et de souffrir en silence.

— Mais enfin, s'emporta Sarah, sa femme aurait dû faire quelque chose ! Elle aurait dû le sortir de là !

— Pas sûr. Elle a peut-être déjà essayé... et échoué.

— Vous pensez qu'elle est, elle aussi, sous la coupe de la vieille ?

— Non. Je suis persuadé que Mrs Boynton n'a aucun pouvoir sur elle, et que c'est pour cela qu'elle lui voue une haine mortelle. Il suffit de voir ses yeux.

Sarah demanda encore, le front plissé :

— Je n'y comprends rien... Et Carol ? Elle se rend compte de ce qui se passe ?

— Je crois qu'elle en a une idée assez claire.

— Hum ! médita Sarah. La vieille ne mérite qu'une chose : se faire assassiner ! Je lui prescrirais volontiers une bonne rasade d'arsenic au petit déjeuner !

Elle se tut un instant, puis reprit soudain, sur un autre ton :

— Au fait, et la plus jeune ? La petite rouquine avec son fascinant regard absent ?

Le Dr Gérard fronça les sourcils :

— Je ne sais pas. C'est un cas peu banal. Il faut dire que Ginevra Boynton est la propre fille de la vieille.

— Oui, mais vous pensez que ça fait une différence ?

Le Dr Gérard prit le temps de la réflexion :

— Non. En réalité, quand un individu est saisi par la passion de dominer — et par le démon de la cruauté —, il n'est plus en mesure d'épargner *qui que ce soit*. Même ceux qui lui sont les plus proches et les plus chers.

Après une pause, il continua :

— Vous êtes croyante, mademoiselle ?

— Je n'en sais rien. Autrefois, je pensais que je ne croyais à rien. Mais maintenant... je n'en suis plus aussi sûre. Il me semble... oui, il me semble que si je pouvais balayer toute cette camelote (elle esquissa un geste plein de violence), ces horribles églises, ces sectes et tous ces prêtres qui passent leur temps à se chamailler... eh bien... j'arriverais peut-être alors à voir Jésus traverser Jérusalem monté sur un âne, comme le jour des Rameaux — et alors je croirais en Lui.

— Moi, dit gravement le Dr Gérard, je crois au moins à l'un des principes de base de la foi chrétienne : « Heureux les humbles ». Je suis médecin, et je sais que l'ambition, le désir de réussite, la volonté de puissance conduisent à la plupart des maladies mentales. Quand ils se réalisent, ces désirs n'engendrent qu'arrogance, violence, démesure. Et quand ils ne se réalisent pas... Ah, quand ils ne se réalisent pas, alors là c'est bien pire ! Que tous ceux qui soignent les fous se lèvent pour venir témoigner ! Les asiles d'aliénés sont remplis d'hommes et de femmes qui n'ont pas pu supporter leur médiocrité, leur insignifiance, leur inexistence, et qui se sont inventé des issues de secours vers le monde de l'irréel comme pour se couper de la vie à jamais.

— Dommage que la vieille Boynton n'y soit pas, dans un asile ! trancha Sarah King.

— Non, répliqua-t-il, vous vous trompez. Sa place n'est pas parmi les ratés. C'est bien plus grave. Elle, elle a *réussi*, voyez-vous ! Son rêve, elle l'a réalisé.

44

Sarah frissonna.

— Des créatures pareilles ne devraient pas exister ! s'écria-t-elle avec exaltation.

7

Sarah King se demandait si Carol Boynton viendrait au rendez-vous ce soir-là.

Au fond d'elle-même, elle en doutait. Elle pensait qu'après s'être laissée aller dans la matinée à un début de confidences, la sœur de Raymond risquait d'avoir de cruels remords.

Elle ne s'en livra pas moins à quelques préparatifs, passa une robe de chambre de satin bleu et mit de l'eau à bouillir pour le thé sur son petit réchaud à alcool.

Elle était sur le point de faire son deuil de cette visite (il était plus de 1 heure du matin), quand on gratta à sa porte. Elle ouvrit et s'effaça bien vite pour laisser Carol entrer furtivement.

— J'avais si peur que vous ne vous soyez déjà couchée, souffla la jeune fille.

Sarah s'appliqua à conserver un ton égal :

— Mais non. Je vous attendais. Un peu de thé ? Un authentique Lapsang Souchong.

Elle lui tendit une tasse. La nervosité de Carol s'apaisa. Elle accepta le thé et un biscuit.

— C'est amusant, non ? sourit Sarah.

La question laissa Carol perplexe :

— Oui... Enfin, peut-être...

— On jurerait une de ces petites orgies nocturnes comme nous en organisions quand j'étais au collège, reprit Sarah. J'imagine que vous n'êtes jamais allée au collège ?

— Non, nous n'avons jamais quitté la maison.

Nous avions une institutrice à demeure — des institutrices, plutôt. Elles ne restaient jamais longtemps.

— Mais vous n'avez jamais — je ne sais pas, moi — bougé ?

— Non. Nous avons toujours vécu dans la même maison. Ce voyage à l'étranger, c'est ma première sortie.

— Ce doit être une grande aventure, fit remarquer Sarah.

— Oh oui. C'est comme une espèce de rêve.

— Qu'est-ce qui a décidé votre... votre belle-mère à entreprendre un voyage pareil ?

A cette seule allusion à Mrs Boynton, Carol avait sursauté.

— Vous savez, se hâta de poursuivre Sarah, je suis presque médecin. Je viens d'être reçue à l'internat. Votre mère — votre belle-mère, plus exactement — m'intéresse beaucoup. C'est un cas. A dire vrai, un cas franchement pathologique.

Carol ouvrit de grands yeux. Ce point de vue, à l'évidence, était nouveau pour elle. Sarah ne s'était pas exprimée ainsi par hasard : à son avis, la famille tendait à considérer Mrs Boynton comme une sorte d'idole aussi ignoble qu'omnipotente — et il convenait avant tout de la dépouiller de sa terrifiante aura.

— Eh oui, s'empressa-t-elle d'expliquer, il s'agit d'une sorte de maladie — la mégalomanie. Les gens qui en souffrent donnent dans l'autoritarisme et exigent que tout soit fait selon leur moindre désir. En plus de quoi ils se montrent invivables.

Carol posa sa tasse :

— Oh, s'écria-t-elle, c'est si bon de pouvoir parler avec vous. Vous savez, je crois vraiment que Ray et moi, nous sommes devenus... un peu cinglés. Nous nous montons le bourrichon pour des riens.

— Pouvoir discuter avec un tiers, c'est toujours une bonne chose, commenta Sarah. Au sein de la famille, on risque de prendre tout trop à cœur.

Puis, changeant de ton :

— Mais — si vous êtes malheureux — il ne vous est jamais venu à l'idée de quitter la maison ?

— Quoi ? lâcha Carol, stupéfaite. Comment pourrions-nous ? Je veux dire... ma mère ne nous le permettrait jamais.

— Mais elle ne pourrait pas s'y opposer. Vous êtes majeure, non ?

— J'ai vingt-trois ans.

— C'est bien ce que je disais.

— N'empêche, je ne vois pas comment... Je ne saurais ni quoi faire, ni où aller.

Sa voix trahissait l'ampleur de son désarroi :

— Nous n'avons pas d'argent, vous comprenez ?

— Et vous n'avez pas d'amis qui pourraient vous accueillir ?

— Des amis ?... Nous ne connaissons personne !

— Et aucun d'entre vous n'a vraiment jamais pensé à s'en aller ?

— Non... je ne crois pas. Et puis ce ne serait pas possible !

Prise de pitié, Sarah décida de changer de sujet :

— Vous aimez votre belle-mère ?

Carol secoua lentement la tête. Puis elle murmura, un peu tremblante :

— Je la hais. Et Ray aussi. Nous... nous avons souvent souhaité qu'elle meure.

Une fois de plus, Sarah détourna la conversation :

— Parlez-moi de votre frère aîné.

— Lennox ? Je ne sais pas ce qu'il a. Il n'ouvre presque plus la bouche. On a l'impression qu'il vit dans une sorte de rêve éveillé. Nadine se fait un sang d'encre.

— Et votre belle-sœur, vous l'aimez ?

— Oh oui ! Nadine, ça n'a rien à voir. Elle est toujours adorable. Mais elle est si malheureuse...

— A cause de Lennox ?

— Oui.

— Ils sont mariés depuis longtemps ?

— Quatre ans.

— Et ils ont toujours vécu avec vous ?

— Oui.

— Et ce genre de situation plaît à votre belle-sœur ? demanda Sarah.

— Non.

Le silence plana un instant. Puis Carol reprit :

— Nous avons eu droit à toute une histoire, il y a de ça un peu plus de quatre ans. Comme je vous l'ai dit, nous ne sortons jamais de la maison. Bien sûr, nous avons le droit de nous promener dans le parc, mais nulle part ailleurs. Seulement, un soir, Lennox est sorti. Il est allé à Fountain Springs. Je crois qu'il y avait un bal ou quelque chose comme ça. Quand Mère s'en est aperçue, elle a piqué une colère noire. C'était effrayant. C'est après ça qu'elle a invité Nadine à séjourner chez nous. Nadine est une cousine assez éloignée, du côté de mon père. Elle n'avait pas le sou et terminait ses études d'infirmière. Alors, elle est venue, et elle est restée un mois. Vous ne pouvez pas imaginer comme nous étions excités d'avoir quelqu'un de l'extérieur ! Et puis Lennox et elle sont tombés amoureux l'un de l'autre. Et Mère a décidé qu'il fallait qu'ils se marient tout de suite et qu'ils s'installent avec nous.

— Et Nadine était d'accord ?

Carol hésita un instant :

— Je crois que ça ne lui plaisait pas beaucoup, mais qu'elle n'a pas vraiment réfléchi. Ce qu'il y a de sûr, c'est qu'au bout d'un moment, elle aurait donné n'importe quoi pour pouvoir s'en aller — avec Lennox, bien entendu.

— Et ils ne sont pas partis ?

— Non. Mère n'a rien voulu savoir. En fait... en fait, je crois qu'elle n'aime plus du tout Nadine. Vous comprenez, Nadine est une drôle de femme. On ne sait jamais ce qu'elle pense. Elle essaie d'aider Jinny, et Mère prend ça très mal.

— Jinny, c'est votre plus jeune sœur ?

— Oui. Son vrai nom, c'est Ginevra.

— Et elle ? Elle est malheureuse, elle aussi ?

Carol eut un sourire plein de doute :

— Depuis quelque temps, Jinny est bizarre. Je n'y comprends plus rien. Elle a toujours été un peu fragile... et... et Mère en fait tout le temps des histoires... ce qui n'arrange rien pour Jinny. Maintenant, il arrive qu'elle m'inquiète. Elle... elle ne sait pas toujours ce qu'elle fait.

— Un médecin l'a examinée ?

— Non. Nadine trouvait que c'était indispensable, mais Mère y a opposé son veto... sur quoi Jinny a piqué une crise d'hystérie et a hurlé qu'elle ne voulait pas voir de médecin. Mais je me fais du souci pour elle.

Soudain, elle se leva :

— Je ne veux pas abuser. Vous avez été très gentille de m'inviter à venir bavarder. Vous devez penser que nous sommes une famille complètement dingue.

— Bah, tout le monde est plus ou moins dingue, sourit Sarah. Mais vous reviendrez, j'espère. Avec votre frère, si vous voulez.

— Je peux ?

— Oui. Ce sera notre petite conspiration à nous. Je voudrais vous présenter un de mes amis, le Dr Gérard, un Français absolument merveilleux.

— Ce sera très amusant ! se réjouit Carol, le feu aux joues. Ce que j'espère, c'est que Mère ne se doutera de rien !

Sarah réprima la réponse qui lui était spontanément venue à l'esprit, et lança, désinvolte :

— Comment voulez-vous qu'elle le sache ? Allez, bonne nuit. On se retrouve demain, à la même heure ?

— Oh oui ! Parce qu'après-demain, nous serons peut-être partis.

— Eh bien, c'est entendu pour demain soir. Bonne nuit.

— Bonne nuit. Et merci.

Carol se glissa dans le corridor.

Sa chambre était située à l'étage au-dessus. Elle monta l'escalier, ouvrit sa porte... et resta clouée sur le seuil. Vêtue d'une robe de chambre cramoisie,

Mrs Boynton trônait dans un fauteuil et dardait sur elle un regard noir.

— Oh ! souffla faiblement Carol.

— Où étais-tu ?

— Je... je...

— Où étais-tu ?

Carol n'avait jamais pu s'empêcher de paniquer chaque fois qu'elle entendait cette étrange voix rauque et insidieuse, si lourde de menaces :

— Chez miss King... Sarah King...

— La fille qui a parlé à Raymond, l'autre soir ?

— Oui, Mère.

— Et tu envisages de la revoir ?

Paralysée de terreur, secouée de longues vagues de frissons, Carol se contenta d'acquiescer de la tête.

— Quand ? demanda encore Mrs Boynton.

— Demain soir.

— Tu n'iras pas. C'est compris ?

— Oui, Mère.

— Tu le jures ?

— Ou... oui.

Mrs Boynton entreprit de se lever. Machinalement, Carol s'avança pour l'aider. Appuyée sur sa canne, la vieille femme marcha lentement vers la porte. Quand elle y parvint, elle se retourna vers la jeune fille encore tremblante :

— Tu n'as plus rien à faire avec miss King. C'est bien compris ?

— Oui, Mère.

— Répète-le.

— Je n'ai plus rien à faire avec miss King.

— Nous sommes donc bien d'accord.

Mrs Boynton sortit et referma la porte derrière elle.

Carol traversa la chambre comme un automate. Prise de nausées, elle avait le sentiment que son corps ankylosé ne lui appartenait plus. Elle se laissa tomber sur son lit. Et un déluge de larmes la submergea soudain.

Elle avait cru qu'un horizon nouveau s'ouvrait devant elle — un horizon radieux et ensoleillé...

Mais, une fois de plus, les grilles noires de sa prison venaient de se refermer sur elle.

8

— Je peux vous dire un mot ?

Sous le coup de la surprise, Nadine Boynton se retourna pour se trouver nez à nez avec une jeune femme au teint mat qu'elle ne connaissait ni d'Eve ni d'Adam.

— Oui, bien sûr, répondit-elle, non sans jeter presque machinalement un coup d'œil méfiant derrière elle.

— Je m'appelle King, Sarah King, annonça la nouvelle venue.

— Oui ?

— Mrs Boynton, ce que je vais vous dire va peut-être vous surprendre. J'ai longuement discuté avec votre belle-sœur avant-hier soir.

Une ombre légère brouilla les traits impassibles de Nadine Boynton :

— Vous avez discuté avec Ginevra ?

— Non, pas avec Ginevra. Avec Carol.

L'ombre s'évanouit :

— Ah bon ! Avec Carol...

Nadine Boynton paraissait satisfaite, mais surtout très étonnée :

— Comment vous y êtes-vous prise ?

— Elle est venue me retrouver dans ma chambre, aux petites heures de la nuit.

Nadine Boynton fronça légèrement ses sourcils effilés. Sarah se hâta de reprendre, un peu gênée :

— Tout ça doit vous sembler un peu extravagant.

— Non. Au contraire, j'en suis ravie. Vraiment.

Pour Carol, c'est merveilleux d'avoir une amie à qui parler.

Sarah s'appliqua à bien choisir ses mots :

— Nous... nous nous sommes très bien entendues. Et... et nous avions décidé de nous revoir hier soir.

— Mais ?

— Mais Carol n'est pas revenue.

— Non ?

Nadine Boynton conservait un ton posé, réfléchi. Son visage doux et calme ne laissait filtrer aucune émotion.

— Non, dit Sarah. Hier, nous nous sommes croisées dans le hall. J'ai voulu lui parler, mais elle n'a pas répondu. Elle a fait semblant de ne pas me voir, et elle est partie à toutes jambes.

— Je vois.

Les deux jeunes femmes restèrent silencieuses un instant. Sarah ne savait plus que dire. Puis Nadine Boynton finit par articuler, non sans peine :

— Je crois... je crois qu'il faut l'excuser. Carol est une fille un peu... un peu lunatique, dirons-nous.

Nouveau silence. Sarah prit son courage à deux mains :

— Je viens de terminer mes études de médecine, Mrs Boynton. Et je suis persuadée... oui, je suis persuadée qu'il serait bon pour votre belle-sœur de ne pas s'exclure du reste de l'humanité.

— Je vois, répondit Nadine, pensive. Vous êtes médecin. Ça change tout.

— Vous comprenez ce que je veux vous dire ? insista Sarah.

Nadine approuva de la tête.

— Vous avez parfaitement raison, bien sûr, murmura-t-elle enfin après une ou deux minutes de profonde perplexité. Mais ce n'est pas une mince affaire. Ma belle-mère a un problème. Elle souffre de ce qu'il faut bien appeler une répulsion pathologique envers les étrangers qui pourraient s'immiscer dans le noyau familial.

— Mais Carol est une adulte ! objecta Sarah dans un élan de révolte.

— Une adulte ! Physiquement oui, mais certainement pas sur le plan psychologique. Puisque vous lui avez parlé, ça n'a pas pu vous échapper. Dans une situation difficile, elle se conduit toujours comme une enfant terrorisée.

— Et vous croyez que c'est ce qui s'est passé ? Qu'on... qu'on lui a fait peur ?

— Ce que je crois, miss King, c'est que ma belle-mère a ordonné à Carol de couper les ponts avec vous.

— Et elle aurait accepté ça ?

— Vous imaginiez qu'il pourrait en aller autrement ? demanda froidement Nadine.

Les yeux des deux jeunes femmes se rencontrèrent. Sarah avait le sentiment qu'au-delà des mots, elles se comprenaient, et que Nadine approuvait son intervention. Mais il était tout aussi clair qu'elle n'avait aucune intention de pousser plus loin la discussion.

Le découragement s'empara de Sarah. L'avant-veille au soir, elle avait cru la partie à demi gagnée. Au cours de leurs rencontres clandestines, elle instillerait à Carol un esprit de résistance — et à Raymond aussi, cela va de soi. (Car, pour être honnête, c'était en fait le sort de Raymond qu'elle n'avait cessé d'avoir à l'esprit.) Et voilà tout à coup que cette masse de chairs informes avec ses yeux de crapaud vicieux lui avait infligé une défaite ignominieuse : Carol avait dû capituler sans combat.

— Mais enfin, ce n'est pas *possible* ! s'exclama Sarah.

Nadine ne répondit pas. Ce silence serra le cœur de Sarah King comme une main glacée. « Cette femme, pensa-t-elle, sait mieux que moi à quel point tout cela est désespéré. C'est *de sa vie aussi* qu'il s'agit. »

Les portes de l'ascenseur s'ouvrirent. Mrs Boynton

mère apparut. D'une main, elle tenait sa canne et, de l'autre, elle s'appuyait sur Raymond.

Sarah frémit en voyant le regard de la vieille dame se porter alternativement sur Nadine et sur elle. Elle s'attendait à y lire de la méchanceté — voire de la haine. Mais elle ne s'attendait pas à ce qu'elle y découvrit : la joie d'un triomphe pervers. Elle se détourna. Nadine fit un pas en avant pour rejoindre sa belle-mère et son beau-frère.

— Ah, tu es là, Nadine, siffla Mrs Boynton. Je vais m'asseoir et me reposer un peu avant de sortir.

Ils l'installèrent dans un fauteuil à haut dossier. Nadine s'assit à côté d'elle.

— A qui parlais-tu, Nadine ? interrogea la vieille dame.

— Une certaine miss King.

— Ah oui. Cette fille qui a bavardé avec Raymond, l'autre jour. Eh bien, Raymond, pourquoi ne vas-tu pas la rejoindre ? Je l'aperçois là-bas, près de la table à écrire...

Les lèvres de la vieille rayonnaient d'un sourire cruel. Raymond s'empourpra. Il se détourna en marmonnant des mots indistincts.

— Qu'est-ce que tu dis, mon petit ?

— Que je n'ai pas la moindre intention d'aller la rejoindre.

— Bien sûr, que tu n'iras pas. Ça, je m'en doute. Entre nous, ce n'est pas l'envie qui t'en manque... seulement tu n'oseras jamais.

Mrs Boynton toussa soudain — une quinte sifflante et étouffée.

— Nadine, notre voyage m'enchante, reprit-elle. Pour rien au monde je n'aurais voulu manquer ça.

— Non ? glissa Nadine, impersonnelle.

— Ray...

— Oui, Mère ?

— Trouve-moi donc du papier à lettres. Il y en a sur la table, là-bas dans le coin.

Raymond s'exécuta. Nadine leva la tête. Non pour observer le jeune homme, mais sa belle-mère, penchée en avant, les narines dilatées de plaisir. Ray frôla Sarah. Elle le fixa droit dans les yeux, pleine d'un espoir subit qui s'évanouit quand il passa à nouveau près d'elle, le papier à lettres à la main.

Le front du jeune homme, quand il revint à sa place, était tout emperlé de sueur. Il avait le visage blafard.

Ce que voyant, Mrs Boynton ne put s'empêcher d'exhaler un « Ah... » de fauve repu.

Tout aussitôt, elle remarqua également le regard de Nadine. Et ce qu'elle y lut ne dut pas lui plaire car le sien s'alluma de colère :

— Mais où est donc Mr Cope, ce matin ? sifflat-elle.

Nadine baissa les yeux pour répondre tout uniment :

— Je ne sais pas. Je ne l'ai pas vu.

— Il me plaît beaucoup, cet homme, annonça Mrs Boynton. Enormément même. Nous devrions le fréquenter davantage. C'est bien de ça que tu as envie, non ?

— Si, répliqua Nadine sans se laisser démonter. A moi aussi, il me plaît beaucoup.

— Qu'est-ce que nous couve Lennox, ces temps-ci ? Il a l'air complètement abattu. J'espère qu'il n'y a pas de grabuge entre vous.

— Non. Pourquoi y en aurait-il ?

— Va savoir. Les gens mariés ne s'entendent pas toujours très bien. Peut-être que vous seriez plus heureux si vous aviez un chez-vous.

Nadine demeura silencieuse.

— Eh bien, que dis-tu de mon idée ? insista Mrs Boynton. Ce serait agréable, non ?

— Je crois, Mère, que ce ne le serait pas pour *vous*, fit Nadine en hochant la tête avec un sourire.

Mrs Boynton battit des paupières.

— Tu as toujours été contre moi, cracha-t-elle.

— Cela me peine que vous pensiez une chose pareille, répliqua calmement la jeune femme.

Les doigts de la vieille femme se crispèrent sur le

pommeau de sa canne. Un peu d'écarlate marbra ses joues. Elle reprit, d'une voix changée :

— J'ai oublié mes gouttes. Va me les chercher, Nadine.

— J'y vais.

Mrs Boynton ne lâcha pas sa bru du regard tandis qu'elle se dirigeait vers l'ascenseur. Affalé dans son fauteuil, Raymond arborait une mine désolée.

Quand Nadine pénétra dans le salon de la suite qu'occupait la famille, elle trouva Lennox assis près de la fenêtre. Il tenait à la main un livre qu'il ne lisait pas, et se leva à l'arrivée de sa femme :

— Salut, Nadine...

— Je suis venue chercher les gouttes de Mère. Elle les a oubliées.

Dans la salle de bains de sa belle-mère, Nadine prit un flacon sur la tablette, mesura avec soin la dose dans un petit verre, et rajouta de l'eau. Quand elle revint dans le salon, elle marqua un temps d'arrêt :

— Lennox ?

Son mari mit un moment à répondre, comme s'il n'avait pas compris tout de suite qu'elle s'adressait à lui :

— Excuse-moi. Qu'y a-t-il ?

Nadine posa le petit verre sur une table, puis se rapprocha de lui :

— Regarde le soleil, Lennox... regarde par la fenêtre, regarde dehors. Regarde la vie. C'est merveilleux. Nous aussi, nous pourrions être dehors — au lieu d'être ici à ne voir le monde qu'à travers une fenêtre.

Il y eut un nouveau silence.

— Excuse-moi, répéta Lennox. Tu as envie de sortir ?

— Oui, répliqua-t-elle, non sans passion. Je veux sortir... *avec toi*... sortir au soleil... sortir dans la vie... et puis vivre... vivre nous deux, ensemble !

Lennox se renfonça dans son fauteuil, un peu hagard :

— Nadine chérie, tu veux vraiment qu'on recommence à parler de ça ?

— Oui, il le faut. Partons, et menons notre propre vie, n'importe où !...

— Ce n'est pas possible. Nous n'avons pas un sou.

— De l'argent, nous pouvons en gagner.

— Comment ? Par quel moyen ? Je ne sais rien faire. Des milliers de gens — des gens qualifiés, des diplômés — sont au chômage. Je n'y arriverais jamais.

— Je gagnerais notre vie à tous les deux.

— Mon bébé chéri, tu n'as même pas terminé ton stage d'infirmière. Ce n'est pas possible, c'est désespéré.

— C'est notre vie qui est impossible et désespérée.

— Tu ne sais plus ce que tu dis. Mère est très bonne pour nous. Elle ne nous refuse rien.

— Rien, sauf la liberté. Fais un effort, Lennox. Viens avec moi. Viens maintenant... *tout de suite*.

— Nadine, je crois que tu perds la tête.

— Non. Je suis lucide — absolument lucide. Je veux avoir ma propre vie, avec toi, au grand jour. Je refuse de continuer à végéter dans l'ombre d'une vieillarde tyrannique qui prend plaisir à te rendre malheureux.

— Je reconnais que Mère est un peu autoritaire.

— Ta mère est folle ! Elle a perdu la tête !

— C'est faux, rétorqua-t-il avec douceur. C'est un cerveau, une remarquable femme d'affaires.

— Peut-être. Et alors ?

— Et alors, rappelle-toi qu'elle ne vivra pas éternellement. Elle vieillit, sa santé est chancelante. A sa mort, nous hériterons à parts égales de la fortune de mon père. Tu te souviens : elle nous a lu son testament.

— Quand elle mourra, murmura Nadine, il sera peut-être trop tard.

— Trop tard ?

— Trop tard pour être heureux.

— Trop tard pour être heureux, répéta Lennox entre ses dents.

Il fut secoué d'un frisson brutal. Nadine se rapprocha encore de lui et le prit par les épaules :

— Je t'aime, Lennox. Mais c'est un combat entre ta mère et moi. Tu es de son côté ou du mien ?

— Du tien... du tien !

— Alors, fais ce que je te demande.

— C'est impossible !

— Non, ce n'est pas impossible. Réfléchis, Lennox. Nous pourrions avoir des enfants.

— Mère souhaite que nous ayons des enfants. Elle l'a dit.

— Je sais. Mais je refuse de mettre au monde des enfants qui vivraient dans l'ombre où elle vous a tous tenus. Ta mère peut t'influencer. Sur moi, elle n'a aucun pouvoir.

— Tu l'agaces parfois, Nadine, murmura Lennox. Ce n'est pas malin.

— Ce qui l'agace, c'est de constater qu'elle n'arrive pas à me dicter ses quatre volontés !

— Je sais que tu es toujours polie et serviable avec elle. Tu es merveilleuse. Tu es trop bonne pour moi aussi. Tu l'as toujours été. Quand tu as accepté de m'épouser, c'était comme un rêve inaccessible.

— J'ai eu tort de t'épouser, trancha Nadine.

— Oui, tu as eu tort, concéda tristement Lennox.

— Tu ne comprends pas. A ce moment-là, si j'étais partie et si je t'avais demandé de me suivre, tu l'aurais fait. Oui, je suis persuadée que tu l'aurais fait... Mais je n'avais pas encore compris quelle femme était ta mère ni ce qu'elle voulait.

La jeune femme s'arrêta un instant. Puis elle reprit d'un ton âpre :

— Tu refuses de venir avec moi ? Très bien, je ne peux pas t'y contraindre. Mais, *moi*, je suis libre de partir ! Je crois... oh oui, je crois vraiment que je vais partir...

Il la fixait, stupéfait. Et, pour la première fois dans

leur dialogue, sa réplique fut immédiate, comme si le cours de sa pensée s'était accéléré. Il bégaya :

— Mais... mais tu ne peux pas faire ça. Mère... Mère ne voudra jamais rien savoir.

— Elle n'a aucun moyen de m'en empêcher.

— Tu n'as pas d'argent.

— Je peux en gagner, en emprunter, en mendier, en voler. Comprends bien ça, Lennox : ta mère n'a aucun pouvoir sur moi. Je peux partir, ou bien rester — à ma guise. Et je commence à trouver que j'ai supporté cette vie trop longtemps.

— Ne m'abandonne pas, Nadine... Ne m'abandonne pas...

Elle se contenta de jeter sur lui un regard tranquille, pensif, indéchiffrable.

— Nadine, ne m'abandonne pas, répéta encore une fois Lennox.

On aurait juré un enfant. Elle tourna la tête pour qu'il ne voie pas les larmes qui lui perlaient au coin des cils.

Elle s'agenouilla :

— Alors, pars avec moi. *Pars avec moi !* Tu peux. Ce n'est qu'une question de volonté !

Lennox eut un mouvement de recul :

— Non, je ne peux pas. Je ne peux pas. Je te l'ai déjà dit. Je n'en ai pas — oh, mon Dieu ! — *je n'en ai pas le courage...*

9

Quand le Dr Gérard fit son entrée dans l'agence de voyages des frères Castle, il trouva Sarah King accoudée au comptoir.

Elle leva les yeux :

— Oh, bonjour. Je suis en train d'organiser mon voyage à Pétra. Et on m'a dit que vous y alliez aussi.

— Oui. Je me suis rendu compte qu'il y avait moyen de caser ça dans mon emploi du temps.

— C'est formidable.

— Vous pensez que nous serons nombreux ?

— Deux autres femmes, m'a-t-on dit. Et puis vous et moi. Une voiture, quoi.

— Ce sera délicieux, commenta le Dr Gérard en s'inclinant avant de régler ses affaires.

Puis, son courrier à la main, il rattrapa Sarah au moment où elle sortait de l'agence. La journée était claire et ensoleillée, mais le fond de l'air restait frais.

— Comment vont nos amis les Boynton ? demanda le psychiatre. Cela fait maintenant trois jours que je me balade entre Bethléem, Nazareth et autres lieux.

Non sans réticences, Sarah lui fit le récit de ses efforts infructueux pour nouer un vrai contact.

— Quoi qu'il en soit, conclut-elle, c'est raté. Et ils partent aujourd'hui.

— Où vont-ils ?

— Pas la moindre idée. En plus, j'ai le sentiment de m'être rendue ridicule, ajouta-t-elle d'un air un peu vexé.

— Comment cela ?

— En me mêlant de ce qui ne me regardait pas.

— Ce n'est qu'une question de point de vue, répliqua le Dr Gérard en haussant les épaules.

— Vous voulez dire qu'il y a des cas où ça se justifie.

— Oui.

— Ça vous arrive ?

La question fit sourire le médecin.

— Si vous me demandez si j'ai l'habitude de mettre mon nez dans les affaires des autres, je vous répondrai carrément : Non.

— Donc, vous estimez qu'il faut s'en abstenir ?

— Non, non, je me fais mal comprendre. Je crois que c'est une question qui mérite plusieurs réponses. Quand on constate que quelque chose va de travers, est-ce qu'il faut intervenir ? Quelquefois, on peut faire du bien. Et, d'autres fois, un mal incalculable. On ne peut pas fixer une règle de conduite unique. Il y a des gens qui ont du génie quand ils se mêlent de ce qui ne les regarde pas et qui réussissent admirablement. Et d'autres qui déboulent avec leurs gros sabots et qui feraient mieux d'aller voir ailleurs ! Le facteur *âge* lui aussi doit être pris en considération. La jeunesse a le courage de ses convictions, mais elle pèche justement par idéalisme : elle n'a pas encore compris que la pratique contredit souvent la théorie ! Quand on croit en soi et en ce qu'on fait, on accomplit souvent des choses fantastiques. Mais on peut tout aussi souvent causer de terribles ravages. D'un autre côté, les adultes ont l'expérience pour eux. Ils ont eu le temps de se rendre compte qu'on fait en général plus de mal que de bien en se mêlant des affaires d'autrui — et, avec sagesse, ils décident de s'abstenir ! Résultat : match nul ! La jeunesse ardente peut faire le bien ou le mal — et la maturité prudente ne fait rien.

— Tout ça ne m'aide pas beaucoup, objecta Sarah.

— Mais qui peut aider qui ? C'est *votre* problème. Pas le mien.

— Ce qui revient à dire que *vous* ne ferez rien dans le cas des Boynton ?

— Rien. Parce que, moi, je n'aurais aucune chance de succès.

— Alors, moi non plus.

— Vous, peut-être bien que si.

— Pourquoi diable ?

— Parce que vous avez les qualifications pour ça. L'attrait de votre jeunesse — et surtout de votre sexe.

— De mon sexe ? Ah, je vois.

— Il faut toujours en revenir au sexe, non ? Avec Carol, vous avez échoué. Il ne s'ensuit pas nécessairement que vous échouerez avec son frère. Ce que vous m'avez raconté des propos de Carol montre clairement d'où peut surgir l'unique menace susceptible de saper le pouvoir absolu de Mrs Boynton. Déjà, Lennox, le frère aîné, l'a défiée en faisant le mur pour aller danser. Son désir de trouver une compagne était plus puissant que la force maléfique qui l'hypnotisait. Mais la vieille, elle — pour l'avoir probablement expérimenté elle-même durant sa carrière —, n'ignore rien de la toute-puissance du sexe. Et elle a trouvé une parade très habile. Elle a introduit dans la tanière une jeune fille aussi séduisante que fauchée. Elle a encouragé le mariage. Et elle a ainsi fait l'acquisition d'une esclave de plus.

Sarah secoua la tête :

— Je n'irais pas jusqu'à dire que Nadine Boynton est une esclave.

— Non, peut-être pas, concéda le médecin. On peut penser que Mrs Boynton a été trompée par le côté jeune fille tranquille de Nadine, et qu'elle a sous-estimé sa force de caractère. Et que, de son côté, Nadine était trop jeune, et qu'elle manquait trop d'expérience pour prendre la vraie mesure de la situation. Maintenant, elle s'en rend compte, mais il est trop tard.

— Vous pensez qu'elle a abandonné tout espoir ?

Le Dr Gérard esquissa une moue dubitative :

— Si elle a des projets, elle ne les a certainement confiés à personne. On peut imaginer diverses hypothèses où ce bon Mr Cope aurait son rôle. Par nature, l'homme est un animal jaloux, et la jalousie est une passion violente. Lennox Boynton peut encore être arraché à la léthargie dans laquelle il est en train de plonger.

Sarah prit soin de rester aussi professionnelle et détachée que possible :

— Et vous pensez que j'ai une chance de pouvoir faire quelque chose pour Raymond ?

— Oui.

— Je suppose que j'aurais dû insister davantage, soupira-t-elle. Enfin, de toute façon, maintenant, c'est trop tard. Et puis... et puis c'est une idée qui ne me plaît pas.

Le Dr Gérard s'épanouit :

— Ça, c'est parce que vous êtes anglaise ! Les

Anglaises ont le complexe du sexe. Elles trouvent que ce n'est « pas bien du tout ».

Sarah afficha une mine furibonde, qui laissa de marbre le médecin :

— Oui, oui, se moqua-t-il. Je sais que vous êtes très moderne... que vous n'hésitez pas à employer en public les mots les plus crus du dictionnaire... que vous vous comportez déjà en médecin confirmé et que vous ne souffrez d'aucune inhibition ! Mais, malgré tout, je vous le répète, vous êtes le portrait craché de votre mère et de votre grand-mère. Et vous avez beau ne pas rougir, vous restez quand même dans l'âme une vieille demoiselle anglaise cramoisie de pudibonderie !

— Je n'ai jamais entendu pareil tissu d'âneries !

— Et ça vous rend tout à fait adorable, continua le médecin sans se laisser démonter et en clignant de l'œil.

Cette fois, Sarah en resta sans voix.

Le Dr Gérard se hâta de soulever son chapeau :

— Je me retire, dit-il, avant que vous ne me jetiez à la figure toutes les amabilités qui sont en train de vous passer par la tête !

Il se dirigea vers l'hôtel. Sarah le suivit, d'un pas plus mesuré.

Une grande activité régnait devant l'entrée. Plusieurs voitures chargées de bagages s'apprêtaient à partir. A côté d'une imposante limousine, Lennox et Nadine Boynton, en compagnie de Mr Cope, supervisaient les derniers préparatifs. Un *drogman* obèse adressait à Carol un flot de paroles à peu près incompréhensibles.

Sans s'arrêter, Sarah pénétra dans le hall.

Assise dans un fauteuil et emmitouflée dans un épais manteau, Mrs Boynton attendait le départ. En la voyant, les sentiments de Sarah à son égard subirent un étonnant changement.

Jusque-là, il lui avait semblé que Mrs Boynton était un personnage sinistre, une incarnation du Mal. Et voilà que, d'un seul coup, elle ne voyait plus en elle qu'une vieille femme pathétique qui avait raté sa vie. « Dire qu'elle est née avec un tel appétit de pouvoir, une telle volonté de puissance, songea Sarah. Et tout ça pour quoi ? Pour n'exercer au bout du compte qu'une médiocre tyrannie sur sa propre famille ! Ce qu'il faudrait, c'est que ses enfants la voient comme je la vois en ce moment : un objet de pitié, une vieillarde stupide, pitoyable, et grotesque. »

Obéissant à une impulsion qu'elle ne maîtrisait pas, Sarah s'approcha d'elle.

— Portez-vous bien, Mrs Boynton ! éructa-t-elle. Bon voyage, bon vent et adieu !

Sous l'affront, les yeux de la vieille dame irradièrent la malveillance et la colère.

— Vous vous êtes montrée délibérément grossière à mon égard, poursuivit Sarah.

(Je suis tombée sur la tête, se dit-elle. Qu'est-ce qui me prend de parler comme ça ?)

» Vous avez essayé d'empêcher votre fils et votre fille de devenir mes amis. Vous ne vous rendez vraiment pas compte à quel point c'est puéril et stupide ? Vous avez envie qu'on vous prenne pour une espèce de croque-mitaine, mais, en réalité, vous savez, vous êtes tellement ridicule que c'en devient risible et attendrissant. Si j'étais à votre place, je renoncerais à ce jeu idiot. Je ne doute pas que vous me détestiez de vous dire tout ça, mais ça vient du fond du cœur — et je crois que ça peut vous aider. Vous savez bien que vous pourriez goûter encore un peu de joie de vivre. C'est tellement mieux d'être gentille... et tendre. Vous pourriez y arriver, pour peu que vous vous en donniez le mal.

Le silence tomba.

Mrs Boynton restait de marbre. Enfin elle passa la langue sur ses lèvres sèches, elle ouvrit la bouche — mais il n'en sortit pas le moindre son.

— Allez-y ! l'encouragea Sarah. Vomissez vos invectives ! Mais ce n'est pas ce que vous me direz qui importe. Ce qu'il faut, c'est que vous réfléchissiez à ce que, moi, je vous ai dit.

Les mots vinrent enfin — prononcés par Mrs Boynton d'une voix faible, essoufflée, mais qui portait cependant. Son regard de serpent était fixé, non pas sur Sarah, mais loin dans le dos de la jeune femme. Et elle parut s'adresser, non pas encore une fois à Sarah, mais à quelque génie familier :

— *Je n'oublie jamais rien,* dit-elle. *Rappelez-vous bien cela. Je n'ai jamais rien oublié — ni un geste, ni un nom, ni un visage...*

La phrase en elle-même n'avait rien de bien impressionnant, mais elle avait été prononcée avec tant de fiel que Sarah esquissa un mouvement de recul. Alors Mrs Boynton éclata de rire. Un rire abominable.

Sarah haussa les épaules.

— Pauvre vieux débris, lâcha-t-elle.

Elle tourna les talons. Comme elle se dirigeait vers l'ascenseur, elle faillit se heurter à Raymond.

— Au revoir, lui dit-elle étourdiment. J'espère que vous aurez beau temps. Peut-être qu'on se reverra un jour.

Puis elle le quitta sur un sourire chaud et amical, et poursuivit son chemin.

Raymond en demeura figé comme une statue. Il était tellement perdu dans ses pensées que le petit homme aux prodigieuses moustaches et à l'accent abominable qui tentait de sortir de l'ascenseur dut se répéter à plusieurs reprises :

— *Pardon...* je demande à vous *pardon...*

Le sens des réalités lui revint. Et il s'écarta.

— Je suis confus, souffla-t-il. Je... je réfléchissais.

Carol venait à sa rencontre :

— Ray, va chercher Jinny, s'il te plaît ! Elle est remontée dans sa chambre, et nous allons partir.

— D'accord. Je vais lui dire de descendre tout de suite.

Raymond s'engouffra dans l'ascenseur.

Hercule Poirot le suivit des yeux, sourcils froncés,

la tête légèrement penchée de côté comme s'il écoutait.

Puis il branla du chef, comme pour marquer un acquiescement.

Traversant le salon, il observa alors attentivement Carol qui avait rejoint sa mère.

Enfin, attirant discrètement l'attention du maître d'hôtel qui passait par là, il lui demanda dans cette langue intranscriptible qui est la sienne et qu'il persiste à prendre pour de l'anglais :

— Pardon. Pouvez-vous me dire le nom de ces gens ?

— C'est la famille Boynton, monsieur. Ce sont des Américains.

— Merci.

Au troisième étage, le Dr Gérard, qui se dirigeait vers sa chambre, croisa Raymond et Ginevra qui s'apprêtaient à prendre l'ascenseur.

— Juste une seconde, Ray, dit-elle. Attends-moi.

Elle courut dans le couloir et rattrapa le médecin.

— S'il vous plaît ! haleta-t-elle. Il faut que je vous parle.

Le Dr Gérard la contempla, stupéfait.

La jeune fille le prit par le bras :

— Ils veulent m'enlever ! Ils ont peut-être l'intention de me tuer... Je ne fais pas réellement partie de la famille, vous savez. Mon vrai nom, ce n'est pas Boynton....

Les mots se bousculaient. Elle poursuivit :

— Je vais vous confier un secret. En vérité, je suis de souche royale ! Je suis l'héritière d'un trône ! C'est pour cela que... que je suis entourée d'ennemis. Ils essaient de m'empoisonner, de... oh, vous n'imaginez pas tout ce qu'ils... Si seulement vous pouviez m'aider... m'aider à m'échapper...

Elle s'interrompit. On arrivait.

— Jinny ?

Avec un mouvement plein de grâce, la jeune fille posa un doigt sur ses lèvres, lança au médecin un regard suppliant et s'esquiva :

— J'arrive, Ray !

Le Dr Gérard entra dans sa chambre, le front plissé, hocha longuement la tête et fronça les sourcils.

10

C'était le petit matin et Sarah se préparait à partir pour Pétra.

En débouchant sur le perron de l'hôtel, elle y découvrit une grande femme imposante, au visage chevalin, qu'elle avait déjà remarquée la veille dans le hall. La digne personne était fort occupée à protester hautement contre les dimensions du véhicule prévu pour le voyage.

— Cette voiture est beaucoup trop petite ! clamait-elle à tous les échos. Quatre passagers ? *Plus un drogman ?* Il va de soi qu'il nous faut quelque chose de bien plus grand. Allez ! débarrassez-nous de ce sabot à roulettes et revenez avec une limousine !

En vain le représentant des frères Castle tentait-il d'élever la voix pour faire valoir ses arguments : c'était toujours ce modèle d'automobile que l'agence fournissait à ses clients — elle offrait un confort incomparable — une voiture plus spacieuse serait inadaptée à des trajets sur les pistes du désert. Métaphoriquement parlant, la grande femme lui passa néanmoins dessus comme un rouleau compresseur.

Puis elle se tourna vers Sarah :

— Miss King ? Je me présente : lady Westholme. Je suis persuadée que vous tomberez d'accord avec moi pour décréter que les dimensions de cette voiture sont grotesquement — j'irai même jusqu'à dire insolemment — inadéquates, non ?

— Eh bien, concéda Sarah avec prudence, je vous

accorde qu'une voiture plus grande pourrait être plus confortable.

L'employé des frères Castle tenta d'objecter que la fourniture d'une limousine entraînerait une majoration de tarif.

— Pas question ! coupa lady Westholme. Le prix est forfaitaire, et il va sans dire que je n'accepterai pas le moindre supplément. Votre prospectus mentionne très précisément « en limousine confortable » et je vous saurai gré de vous conformer aux termes du contrat !

Reconnaissant qu'il avait affaire à trop forte partie, le jeune employé de chez Castle marmonna qu'il allait voir ce qu'il pourrait faire et, prenant ses jambes à son cou, déserta le champ de bataille.

Lady Westholme, les narines dilatées par son triomphe, adressa alors à Sarah un sourire satisfait.

Dans le petit monde de la politique britannique, lady Westholme campait un personnage remarquable. Sur le paquebot qui le ramenait d'un séjour aux Etats-Unis, lord Westholme, pair du Royaume entre deux âges qui consacrait ses ressources intellectuelles à la chasse à courre et à tir ainsi qu'à la pêche à la ligne, avait fait la connaissance d'une certaine Mrs Vansittart. Et, peu après, Mrs Vansittart était devenue lady Westholme. Les mauvaises langues aimaient à citer ce mariage en exemple des risques que font courir les voyages en mer. La nouvelle lady Westholme se convertit aussitôt au tweed et aux brodequins tout terrain, et s'obligea à élever des chiens, à harceler ses métayers, et à pousser le malheureux lord Westholme à jouer un rôle public actif. Force lui avait cependant été de prendre rapidement conscience du fait que son mari ne possédait — et ne posséderait jamais — la bosse politicienne. Elle avait donc bien vite rendu le malheureux à ses passions cynégétiques tandis qu'elle-même se présentait au Parlement. Elue haut la main, elle faisait preuve, à Westminster, d'une activité débordante — notamment lors des séances de questions au gouvernement. Signe évident de réussite, les caricaturistes n'avaient pas tardé à la prendre pour cible. Lady Westholme se posait en défenseur des valeurs traditionnelles et de la famille, militait pour l'amélioration du statut des femmes, et plaidait avec vigueur la cause de la Société des Nations. Elle professait des vues définitives sur l'agriculture, le logement, et la réhabilitation des taudis. On la respectait poliment, et on la détestait sans retenue. Dans les milieux informés, on prédisait qu'elle se verrait offrir un portefeuille de sous-secrétaire d'Etat quand son parti reviendrait au pouvoir. Pour le moment, à la suite de l'éclatement du cabinet d'union nationale qu'avaient formé Conservateurs et Travaillistes, c'était, de manière inattendue, un Premier Ministre libéral qui occupait le 10, Downing Street.

Lady Westholme grimaça de satisfaction en voyant s'éloigner la voiture qu'elle avait condamnée.

— Les hommes, affirma-t-elle, croient toujours qu'ils peuvent imposer leur volonté aux femmes.

Sarah pensa, *in petto*, qu'il faudrait à un homme beaucoup d'intrépidité pour tenter d'imposer quoi que ce soit à lady Westholme. Puis elle lui présenta le Dr Gérard, qui venait de sortir de l'hôtel.

— Votre nom m'est familier, bien entendu, proclama lady Westholme en serrant la main du médecin. Il y a quelques jours, à Paris, j'ai eu l'occasion de rencontrer le Pr Chantereau. Depuis quelque temps, je prends très à cœur la question du traitement des aliénés de faible niveau social. Très à cœur, je vous assure. N'êtes-vous pas comme moi d'avis que nous devrions rentrer à l'ombre pour attendre notre nouveau véhicule ?

Il apparut bientôt qu'une petite personne entre deux âges, insignifiante, grisonnante et ronronnante, qui semblait tourner sans but, n'était autre que miss Annabel Pierce, le quatrième membre du groupe de touristes. Elle fut, elle aussi, entraînée dans le hall, sous la tutelle protectrice de lady Westholme.

— Vous avez un métier, miss King ?

— Je viens d'être reçue à l'internat.

— C'est parfait, approuva lady Westholme. Si quoi que ce soit peut encore être accompli — retenez bien ce que je vous dis —, ce sont désormais les femmes qui s'en chargeront.

Un peu gênée de se voir ainsi rappeler son sexe, Sarah s'assit à côté de lady Westholme qui informa son auditoire qu'elle avait refusé de séjourner chez le Haut-Commissaire pendant son passage à Jérusalem.

— Je n'avais aucune intention, expliqua-t-elle, de me laisser impressionner par les vues officielles. Je voulais pouvoir constater les choses par moi-même.

« Quelles choses ? » se demanda Sarah.

Lady Westholme détailla longuement comment le fait de descendre à l'hôtel du *Roi Salomon* lui avait permis de conserver un point de vue objectif. Elle ajouta qu'elle avait soumis au directeur de nombreuses suggestions en vue d'améliorer la marche de son établissement.

— Efficacité, tel est mon maître-mot, martela-t-elle.

Sans doute était-ce vrai : un quart d'heure plus tard, une limousine de taille respectable et présentant tous les signes du plus grand confort s'arrêta devant l'hôtel. Lady Westholme se mit en devoir de donner quelques conseils sur l'art et la manière d'arrimer des bagages. Puis, avec un léger retard sur l'horaire, on prit enfin la route.

La première étape les mena au bord de la mer Morte. Ils déjeunèrent à Jéricho. Ensuite de quoi, lady Westholme, le Baedeker en main, entraîna miss Pierce, le Dr Gérard et le *drogman* ventripotent pour un tour de la vieille ville.

Sarah préféra demeurer dans le jardin. Une légère migraine lui battait les tempes et elle souhaitait rester seule. Elle se sentait en proie à une forte dépression qu'elle ne s'expliquait pas. Apathique, indifférente, sans goût, lassée par ses compagnons de voyage, elle aurait voulu n'avoir jamais décidé d'aller

70

à Pétra. Cela allait lui coûter les yeux de la tête, et elle était sûre de ne pas en profiter... La voix claironnante de lady Westholme, le babillage incessant de miss Pierce et les professions de foi anti-sionistes du *drogman* lui tapaient sur les nerfs. Et elle ne supportait pas davantage l'air amusé qu'arborait le Dr Gérard pour lui faire comprendre qu'il savait très précisément ce qu'elle ressentait.

Elle se demanda où se trouvaient maintenant les Boynton. Peut-être étaient-ils partis pour la Syrie, visiter Damas, ou Baalbek. Et Raymond... que faisait Raymond ? Elle s'étonnait de revoir si clairement en pensée son visage, son sérieux, sa timidité, sa tension...

Et puis zut ! A quoi bon se tourmenter pour des gens qu'elle ne reverrait sans doute jamais ? Et puis la scène avec la vieille... Qu'est-ce qui avait bien pu la pousser à lui débiter pareilles insanités ? Insanités que d'autres personnes avaient peut-être entendues. Il lui avait semblé que lady Westholme n'était pas loin.

Sarah tenta de se souvenir avec précision de ce qu'elle avait dit. Elle avait dû paraître hystérique. Seigneur, comme elle s'était rendue ridicule ! Mais ce n'était pas sa faute — c'était celle de Mrs Boynton. Il y avait en elle quelque chose qui vous faisait perdre le sens commun.

Le Dr Gérard vint soudain la rejoindre et, s'épongeant le front, se laissa tomber sur une chaise.

— Pfouh ! gémit-il. Il faudrait empoisonner cette virago !

— Mrs Boynton ?

— Du diable Mrs Boynton ! Non, je parle de cette fichue lady Westholme. Je ne parviens pas à comprendre qu'elle soit mariée depuis plusieurs années et que son mari n'ait pas encore trouvé le moyen de lui concocter un bon bouillon de onze heures. Je me demande dans quel bois il est taillé, ce mari !

— C'est le genre cheval, chasse et pêche, expliqua Sarah.

— Psychologiquement, ça colle très bien. Ses envies de meurtre, il les passe sur nos soi-disant frères inférieurs !

— On prétend qu'il est très fier du rôle politique de sa femme.

— Sans doute parce que ça la retient souvent loin de chez eux. Je comprends ça très bien. Mais de quoi parliez-vous à l'instant ? De Mrs Boynton ? A coup sûr, ce serait une bonne idée de l'empoisonner elle aussi. Pour les problèmes de sa famille, quelle solution radicale ! En réalité, il y a un très grand nombre de femmes qu'il faudrait empoisonner. Toutes celles qui sont devenues vieilles et laides.

Sarah éclata de rire :

— Vous, les Français, vous êtes incorrigibles ! Vous ne vous intéressez qu'aux femmes jeunes et séduisantes !

Le Dr Gérard haussa les épaules :

— Nous sommes moins hypocrites que les autres, voilà tout. Dans le train ou le métro, les Anglais ne cèdent pas non plus leur place aux laiderons — non, non et non.

— Ah ! la vie est bien déprimante, soupira Sarah.

— Vous, mademoiselle, vous n'avez aucun motif pour soupirer.

— Je ne me sens vraiment pas en forme, aujourd'hui.

— Ça ne m'étonne pas.

— Qu'est-ce que vous insinuez ?

— Que vous en trouverez sans peine la raison si vous faites honnêtement votre examen de conscience.

Sarah tenta de dériver :

— Je pense que ce sont nos compagnes de voyage qui me dépriment. C'est horrible à dire, mais je hais les femmes. Quand elles sont stupides et débiles comme miss Pierce, elles me mettent en colère. Et quand elles sont efficaces comme lady Westholme, ça me met encore plus hors de moi.

— Je trouve assez normal, permettez-moi de vous

le dire, que ces deux-là vous tapent sur les nerfs. Lady Westholme est idéalement faite pour la vie qu'elle mène, elle est épanouie et elle réussit tout ce qu'elle entreprend. Quant à miss Pierce, elle a travaillé des années comme nourrice sèche, il lui est soudain échu un petit héritage qui lui permet de satisfaire enfin ses vieux rêves de voyages et jusqu'à présent celui-ci a comblé tous ses vœux. Il résulte de tout cela qu'il est bien naturel que vous, qui n'êtes pas encore parvenue à réaliser vos objectifs, vous soyez agacée par des gens qui ont mieux réussi que vous dans la vie.

— J'imagine que vous avez raison, acquiesça sombrement Sarah. Vous lisez trop bien dans l'esprit des autres. Je passe mon temps à essayer de me mentir à moi-même, mais vous me l'interdisez.

Sur ces entrefaites, le restant du groupe revint. C'était le guide qui paraissait le plus éprouvé des trois. Si las, en fait, qu'il ne laissa filtrer que quelques informations succinctes sur le chemin d'Amman, et s'abstint même de faire allusion aux Juifs, ce dont chacun lui fut profondément reconnaissant. Au départ de Jérusalem, ses incessantes jérémiades sur les iniquités commises par les Sionistes avaient exaspéré les quatre voyageurs.

La route, virage après virage, escaladait les pentes de la vallée du Jourdain. Les lauriers-roses étaient en fleur.

Ils parvinrent à Amman assez tard dans l'après-midi et, après avoir consacré une courte visite au théâtre gréco-romain, s'en furent se coucher de bonne heure. Le lendemain matin, il leur faudrait partir tôt pour leur longue route à travers le désert, jusqu'à Ma'am.

Le départ eut lieu peu après 8 heures. On resta silencieux. C'était une chaude journée, sans un souffle de vent. Et quand on fit halte vers midi pour un pique-nique, l'air était réellement oppressant. Par une température aussi caniculaire, se sentir confiné dans une voiture avec trois de ses semblables les rendait tous irritables.

Lady Westholme et le Dr Gérard entamèrent une polémique hargneuse sur la Société des Nations. Lady Westholme ne ménageait pas ses éloges. A l'inverse, le médecin multipliait les sarcasmes. Les deux protagonistes abordèrent une grande variété de points litigieux. On passa de l'attitude de la Société à l'égard de l'Ethiopie et de l'Espagne au problème des frontières de la Lituanie — dont Sarah ignorait jusqu'à l'existence —, et au combat mené contre les trafiquants de drogue.

— Enfin, aboyait lady Westholme, vous devez bien reconnaître que la Société des Nations accomplit un travail formidable. Formidable !

— Peut-être, ricanait le Dr Gérard. Mais à quel prix !

— Vous ne vous rendez pas compte de la gravité du problème ! Aux termes de la loi sur les substances dangereuses...

Et la polémique de continuer à faire rage tandis que miss Pierce glissait à l'oreille de Sarah :

— C'est *passionnant* de voyager avec lady Westholme.

— Vous trouvez ?

Miss Pierce ne remarqua pas l'ironie du ton de Sarah et ajouta, pénétrée :

— J'ai *souvent* vu son nom dans les journaux. C'est *tellement bien* de la part des femmes d'entrer dans la vie publique et d'y tenir leur place. Moi, je suis *toujours* heureuse quand je vois une femme réussir.

— Tiens, pourquoi ? grinça Sarah.

Miss Pierce en demeura un instant bouche bée et bégaya :

— Parce que... je veux dire... parce que... enfin, c'est... oui, c'est merveilleux de voir qu'une femme *peut* réussir.

— Je ne suis pas d'accord avec vous, répliqua Sarah. C'est merveilleux quand un *être humain* réussit quelque chose d'important. Et peu importe que ce soit un homme ou une femme, non ?

— Evidemment... je reconnais que... vu sous cet angle...

Miss Pierce n'en arborait pas moins une mine chagrinée. Sarah adopta un ton plus conciliant :

— Pardonnez-moi, mais je ne supporte pas cette espèce de discrimination entre les sexes. Le genre : « Une jeune femme moderne doit considérer la vie d'un œil froid. » C'est complètement idiot ! Il y a des femmes qui ont la tête froide, et d'autres pas. Il y a aussi des hommes qui sont sentimentaux et confus, et d'autres lucides et rationnels. La différence réside uniquement dans l'organisation des cerveaux. Le sexe ne doit compter que quand il est précisément en cause.

Au mot de sexe, miss Pierce rougit et changea de sujet :

— On ne se plaindrait pas de trouver un peu d'ombre, mais ce désert, c'est merveilleux, non ?

Sarah acquiesça.

Oui, pensait-elle, le désert est merveilleux... Paisible et apaisant... Personne pour vous assener ses épuisants problèmes de rapports humains... Pas de chagrins brûlants... Elle se sentait enfin libérée des Boynton. Libérée de cette irrépressible tendance à se mêler de la vie de gens qui n'avaient rien à voir avec elle. Elle se sentait calme et en paix. Le désert, c'était la solitude, le vide, l'espace... La paix, tout bonnement.

Evidemment, on ne pouvait pas en jouir toute seule. Lady Westholme et le Dr Gérard en avaient terminé avec le combat contre la drogue et se chamaillaient maintenant à propos de la traite des Blanches à destination de l'Amérique du Sud. Depuis le début, le Dr Gérard avait fait preuve d'une légèreté que lady Westholme — en bonne politicienne, elle manquait totalement d'humour — jugeait condamnable.

— Nous bientôt arriver, baragouina le *drogman*

75

enturbanné avant de mieux reprendre son réquisitoire contre les exactions des Juifs.

Ils parvinrent à Ma'am une heure avant le coucher du soleil. D'étranges visages farouches s'assemblèrent autour de la voiture. Après un court arrêt, ils repartirent.

A la vue de l'immensité uniforme du désert, Sarah, perplexe, tentait de situer Pétra. Pourtant, le regard portait à des kilomètres. Ni montagnes ni collines. Etaient-ils proches du but de leur voyage ?

Enfin, ce fut le village d'Aïn Moussa, où il fallait abandonner la voiture. Des chevaux les y attendaient — pauvres haridelles étiques et efflanquées. L'incongruité de sa robe de rayonne ajourée affligea grandement miss Pierce. Lady Westholme, pour sa part, avait pris la précaution d'adopter une culotte de cheval qui, si elle ne convenait que fort peu à son genre de beauté, était certainement plus commode.

Des guides menèrent les chevaux au long d'un sentier escarpé, accroché en lacet au flanc d'un ravin. Les pierres roulaient sous le sabot des montures. Le soleil disparaissait derrière l'horizon.

Sarah sentait peser sur ses épaules toute la fatigue d'un interminable trajet en voiture, en pleine chaleur. Ses sens en étaient engourdis. Cette chevauchée avait quelque chose d'irréel. Plus tard, elle raconterait comment elle avait cru que les portes de l'Enfer allaient s'ouvrir sous ses pas. Le sentier plongeait toujours plus profond au sein des entrailles de la terre à travers un labyrinthe de falaises rouges qui les dominaient de toutes parts. Comme étranglée par ce canyon qui se resserrait, Sarah avait de la peine à avaler sa salive.

Sans trop savoir ce qu'elle disait, elle répétait confusément le verset du psaume : « *Dans l'ombre de la vallée de la mort... Dans l'ombre de la vallée de la mort...* »

Cela n'en finissait pas. L'obscurité tombait. Le rouge éclatant des falaises s'estompait. Et il n'en fallait pas moins continuer d'avancer, balancée sur la

selle, sans pouvoir s'échapper, toujours plus profond.

« C'est une fantasmagorie, pensa-t-elle. Je n'y crois
pas... Une ville morte. »

Puis de nouveau : « *Dans l'ombre de la vallée de la
mort.* »

On alluma des lanternes. Les chevaux allaient toujours sur le sentier étroit. Soudain, ils débouchèrent
dans un cirque qui allait s'élargissant. Les falaises
reculèrent. Loin, devant eux, brillaient des lumières.

— Voilà le camp ! clama le guide.

Les chevaux pressèrent le pas — oh, sans pour
autant redoubler leur allure : ils étaient trop las, trop
affamés pour ça. Mais il était clair qu'ils sentaient
l'écurie. Le sentier longeait maintenant un oued
rocailleux. Les lumières se rapprochaient.

On pouvait distinguer des rangées de tentes, la
dernière accolée à la falaise. Et puis aussi des cavernes, creusées dans le roc.

Ils étaient rendus. Des serviteurs bédouins accou-
raient de toute part.

Sarah, fascinée, fixait l'entrée de l'une des cavernes. On y distinguait une silhouette. Qu'était-ce
donc ? Une idole ? Une gigantesque statue accrou-
pie ?

Bien sûr, les lueurs tremblotantes changeaient les
dimensions. Mais c'était tout de même une idole
qu'on voyait là, immobile, dominant le paysage.

Et, tout d'un coup, le cœur de Sarah battit la chamade...

Elle avait cru que le désert lui avait donné la paix,
la liberté. Mais elle se retrouvait à nouveau prison-
nière.

Elle avait chevauché durement à travers cette
sombre vallée. Et là, au bout du chemin, comme la
grande prêtresse d'un culte oublié, comme un mons-
trueux Bouddha femelle aussi gonflé qu'un ballon,
trônait Mrs Boynton...

11

Mrs Boynton était là, à Pétra !

Abasourdie, Sarah répondit machinalement aux questions qu'on lui posait. Voulait-elle dîner tout de suite — le souper était prêt — ou préférait-elle faire un brin de toilette ? Dormirait-elle sous la tente ou bien dans l'une des cavernes ?

Sous la tente ! Sa réponse avait fusé, immédiate. Elle frémissait à l'idée d'une caverne, incapable d'oublier la silhouette monstrueuse qu'elle avait entrevue. Pourquoi, se demandait-elle, cette femme me paraît-elle à peine appartenir au genre humain ?

Elle emboîta le pas à l'un des serviteurs indigènes. Il portait une culotte plus que rapiécée, des guêtres crasseuses et une veste qui aurait déshonoré un chiffonnier de Londres. Mais il arborait fièrement son *keffieh*, la coiffure locale, dont les plis maintenus en place par l'*ogal* de soie étroitement ajusté au niveau du front — protégeaient ses tempes et sa nuque. Sarah admirait le balancement aisé de sa démarche, son port de tête altier. Il n'y avait que les éléments européens de son costume qui paraissaient incongrus, déplacés.

« C'est la civilisation qui va de travers, pensa-t-elle. Complètement de travers ! S'il n'y avait pas la civilisation, il n'y aurait pas de Mrs Boynton ! Dans une tribu primitive, ils l'auraient tuée et dévorée depuis belle lurette ! »

Elle finit par comprendre, pour s'en amuser, qu'elle était épuisée, à bout de forces. Un peu d'eau chaude pour se laver, un peu de poudre sur le bout de son nez, et elle se reprendrait — calme, maîtresse d'elle-même et honteuse de ses angoisses.

A la lueur vacillante d'une lampe à huile, devant un miroir ébréché, elle prit le temps de brosser la lourde masse de sa chevelure noire. Puis elle écarta la portière de sa tente et s'apprêta à s'enfoncer dans la nuit pour rejoindre la tente principale réservée aux repas.

— Vous... ici ?

C'était une exclamation assourdie, incrédule.

Elle se retourna pour faire face au regard de Raymond Boynton. Quelle stupeur on pouvait y lire ! Et une lueur aussi, qui la laissa sans voix et la fit presque reculer d'un pas. Une lueur de joie tellement inimaginable que... qu'on eût dit que les portes du Paradis lui avaient été ouvertes. Il avait le regard égaré, ébloui, éperdu de reconnaissance. Ce regard, Sarah sut tout aussitôt qu'elle ne pourrait plus jamais l'oublier. C'était celui d'un damné qui entrevoit le Salut.

— *Vous ?* répéta Raymond.

Le mot la toucha — comme la toucha cette voix basse, profonde. Dans sa poitrine, elle crut que son cœur chavirait. Elle se sentait soudain timide, apeurée, comme une enfant, et pourtant pleine d'un bonheur orgueilleux.

— Oui, dit-elle seulement.

Il s'approcha d'elle, encore au comble de l'étonnement. Puis il s'empara de sa main :

— C'est vous, souffla-t-il. Vous êtes bien réelle. J'ai commencé par vous prendre pour un songe... parce que je n'ai cessé de penser à vous. Je vous aime, vous savez... Je vous aime depuis l'instant où je vous ai vue dans le train. Ça, maintenant je le sais. Et je veux que vous le sachiez aussi pour que... pour que vous compreniez que ce n'est pas moi... pas mon vrai moi... qui peut... qui peut se conduire si grossièrement. Même maintenant, voyez-vous, je ne peux pas répondre de moi. Je peux faire... je ne sais pas, n'importe quoi. Je peux passer sans vous voir, ou vous bousculer, mais il faut que vous sachiez que ce n'est pas moi — mon vrai moi — qui en est responsable. Ce sont mes nerfs. Ils me trahissent... Quand Elle m'ordonne de faire quelque chose... je le fais ! Ce sont mes nerfs qui le font ! Vous comprenez, n'est-ce pas ? Méprisez-moi si vous voulez, mais...

— Je ne vous mépriserai jamais, coupa-t-elle d'une voix étonnamment basse et douce. Jamais.

— Mais je suis méprisable ! Je devrais... je devrais être capable d'agir en homme.

Dans la réponse de Sarah, il y eut un peu des conseils du Dr Gérard, mais aussi beaucoup de son intuition à elle et de ses espoirs. Et sa douceur ne pouvait cacher ce qu'elle véhiculait de certitude et d'autorité.

— Maintenant, vous le pourrez, affirma-t-elle.

— C'est vrai ? balbutia-t-il. Peut-être que...

— Maintenant, vous aurez du courage. J'en suis sûre.

Il se tint plus droit. Il releva la tête :

— Du courage ? Oui, c'est tout ce qu'il me faut. Du courage...

Soudain, il s'inclina, posa les lèvres sur la main de la jeune femme et tourna les talons.

12

Dans la tente principale, Sarah trouva ses trois compagnons déjà attablés. Le guide expliquait qu'un autre groupe de touristes se trouvait sur le site :

— Eux arrivés il y a deux jours. Repartir après-demain. Des Américains. La maman, très grosse, très difficile de l'amener ici. Il a fallu des porteurs pour descendre elle ici dans fauteuil beaucoup travail — beaucoup sueur, ça oui.

Sarah ne put se retenir de pouffer. Evidemment, quand on avait le cœur à rire, il y avait de quoi s'amuser !

Le gros *drogman* lui lança un regard de gratitude. Il n'avait pas la tâche facile. Trois fois dans la journée, lady Westholme, sur la foi du Baedecker, l'avait publiquement contredit. Et maintenant, elle se plaignait de la literie. Il était donc éperdu de reconnaissance à l'égard du seul membre du groupe qui affichait une apparente bonne humeur.

— Je crois que ces gens étaient au *Roi Salomon*, dit lady Westholme. J'ai reconnu la mère quand nous sommes arrivés ici. J'ai d'ailleurs gardé le souvenir, miss King, de vous avoir vue lui parler.

Sarah rougit, espérant que lady Westholme n'avait pas surpris grand-chose de la conversation.

« Je me demande encore vraiment ce qui avait pu me passer par la tête », pensa-t-elle, furieuse d'elle-même.

Mais lady Westholme avait d'ores et déjà rendu son verdict :

— Des gens pas intéressants du tout. Des provinciaux.

Miss Pierce minauda son approbation, et lady Westholme entreprit le récit de ses rencontres récentes avec d'innombrables Américains tous aussi intéressants que très en vue.

Etant donné la chaleur, inhabituellement élevée pour la saison, on convint de partir le lendemain à l'aube.

A 6 heures, les quatre compagnons s'assemblèrent pour le petit déjeuner. De la famille Boynton, nulle trace. Lady Westholme critiqua l'absence de fruits, mais n'en laissa pas moins à personne sa part de thé, de lait concentré et d'œufs au plat noyés dans la graisse et flanqués d'un bacon trop salé.

Puis ils prirent le départ, lady Westholme et le Dr Gérard déjà lancés dans une discussion animée sur la ration calorique des classes laborieuses et l'amélioration de leur régime alimentaire.

Du camp, on les héla soudain, et ils marquèrent un temps d'arrêt pour permettre à une autre personne de se joindre à leur groupe. Il s'agissait de Mr Cope qui, les joues allumées par sa course, s'était lancé à leur, poursuite.

— Si ça ne vous dérange pas, haleta-t-il, j'aimerais beaucoup vous accompagner ce matin. Bonjour, miss King. Quelle surprise de vous rencontrer ici avec le Dr Gérard. Qu'est-ce que vous en pensez ?

Du geste, il montrait la fantasmagorie des rochers qui se dressaient en tous sens.

— Je trouve ça extraordinaire, mais un peu effrayant, répondit Sarah. J'avais toujours pensé que Pétra serait romantique et du domaine du rêve — « la ville rose et rouge ». Mais c'est beaucoup plus réel que dans mon imagination — aussi *réel* que... qu'un steak cru.

— Et ça en a la couleur, renchérit Mr Cope.

— Cependant, je reconnais que c'est un émerveillement.

Ils commençaient à grimper. Deux guides bédouins de haute stature les accompagnaient. Grâce à leurs chaussures à crampons, ils progressaient sans peine sur la pente glissante. Les difficultés commencèrent bientôt. Sarah et le Dr Gérard ne craignaient pas les passages scabreux, mais lady Westholme et miss Pierce étaient loin de manifester la même aisance. Il fallait presque soutenir miss Pierce qui, les yeux fermés et le teint verdâtre, ne cessait de gémir :

— Je n'ai jamais pu regarder dans le vide. Jamais... depuis que je suis toute petite !

Elle en vint même à annoncer son intention de rebrousser chemin. Mais, à contempler la descente qui l'attendait, elle n'en eut que davantage la chair de poule et décida, bien malgré elle, que mieux valait poursuivre son chemin.

Le Dr Gérard, très prévenant, fit merveille pour la rassurer. Il se plaça dans son dos et tint à l'horizontale sa canne ferrée entre le précipice et elle. La malheureuse voulut bien admettre que ce semblant de balustrade l'aidait à dominer son vertige.

Sarah, essoufflée, interrogea Mahmoud, le *drogman* obèse, lequel, en dépit de sa corpulence, paraissait aussi alerte qu'un cabri :

— Est-ce que vous n'avez pas toujours du mal à

amener les gens jusqu'ici ? Les personnes âgées, je veux dire.

— Toujours... toujours difficultés, répondit Mahmoud sans s'émouvoir.

— Mais vous continuez quand même ?

Mahmoud esquissa une moue :

— Ça leur plaît. Ils ont payé beaucoup d'argent pour voir ces choses. Ils veulent les voir. Les guides bédouins sont très bons — ils ont le pied sûr — ils y arrivent toujours.

Ils parvinrent enfin au sommet. Sarah reprit son souffle.

Autour d'eux comme à leurs pieds s'élevaient des rochers rouge sang — paysage étrange et fascinant qui n'avait pas son pareil. De là-haut, dans l'air vif du matin, ils étaient comme des dieux surveillant le monde d'en bas — le monde du tumulte et de la violence.

Ils se trouvaient, leur expliqua le guide, sur le « Saint Lieu », également appelé « Lieu du Sacrifice ». Et il leur fit voir la rainure taillée à même le sol dans la table rocheuse pour que le sang des victimes puisse s'écouler.

Fuyant les explications mécaniques que débitait le *drogman*, Sarah s'était écartée du groupe. Elle s'assit sur un rocher, se passa les mains dans les cheveux et scruta l'horizon. Bientôt, elle perçut une présence à ses côtés.

— D'ici, dit la voix du Dr Gérard, on apprécie la justesse du récit de la tentation du Christ dans le Nouveau Testament. A en croire Saint Matthieu, Satan conduisit Notre Seigneur au sommet d'une montagne et lui montra la Terre. *« Tout cela*, dit Satan, *je te le donnerai si tu tombes à mes pieds et si tu m'adores. »* Quand on se trouve sur une hauteur, la tentation de devenir un dieu de puissance est incontestablement bien plus forte.

De la tête, Sarah marqua son accord. Mais elle pensait si manifestement à autre chose que le Dr Gérard exprima sa surprise :

— Je parierais que vous ruminez un sujet épineux.

— Oui, répliqua-t-elle, un peu incertaine. C'est une idée géniale d'avoir établi ici même un lieu de sacrifice. Moi, voyez-vous, il me semble quelquefois qu'un sacrifice peut être *nécessaire*... Peut-être ne faut-il pas accorder trop d'importance à la vie. Et la mort n'est pas forcément aussi grave que nous le croyons.

— Si c'est ce que vous ressentez, miss King, il fallait choisir une autre vocation que la nôtre. Pour nous, médecins, la mort, c'est — et ce doit toujours être — l'ennemi.

Sarah frémit :

— Oui, vous avez raison, bien sûr. Et pourtant la mort peut parfois résoudre plus d'un problème. Elle peut permettre une vie plus claire, plus ample, plus épanouie.

Cette fois, le Dr Gérard, sans sourire, cita saint Marc :

— « *Nous pensons qu'il est bon que cet homme meure pour sauver tout un peuple...* »

Sarah tourna vers lui un visage bouleversé. Mais elle se tut. Jefferson Cope arrivait :

— C'est superbe ! J'aurais vraiment été désolé de manquer ça. Je dois bien confesser que si Mrs Boynton est une femme exceptionnelle et si j'admire grandement sa détermination de venir jusqu'ici, voyager avec elle ne facilite pas l'existence. Sa santé est précaire, et je suppose que cela la rend un peu indifférente aux sentiments d'autrui, mais il ne semble pas lui venir à l'esprit que, de temps en temps, sa famille pourrait partir en excursion sans elle. Elle est tellement habituée à les voir rassemblés autour d'elle qu'elle n'imagine pas que...

Mr Cope s'interrompit. On lisait sur son visage avenant une sorte de gêne.

— Vous savez, reprit-il, on m'a raconté récemment, à propos de Mrs Boynton, une histoire qui m'a beaucoup troublé.

Sarah s'était à nouveau enfoncée dans le tumulte de ses pensées et la voix de Mr Cope ne retenait pas plus son attention que le murmure d'un ruisseau lointain. Mais le Dr Gérard manifesta son intérêt :

— Ah bon ? De quoi s'agit-il ?

— L'histoire m'a été racontée par une amie que j'ai retrouvée par hasard à l'hôtel, à Tibériade. Il s'agit d'une domestique qui servait chez Mrs Boynton. Cette jeune fille, si j'ai bien compris, était... enfin, était...

Mr Cope baissa la voix, eut pour Sarah un regard rougissant, et continua :

— Bref, elle attendait un enfant. La vieille Mrs Boynton, à ce qu'on m'a dit, s'en est aperçue mais s'est montrée extrêmement gentille avec la donzelle. Et puis, quelques semaines avant la naissance de l'enfant, elle l'a fichue à la porte.

Le Dr Gérard fronça les sourcils :

— Tiens ! tiens !

— L'amie en question ne doutait pas des faits. Je ne sais pas si vous en tomberez d'accord avec moi, mais je trouve que c'est une manière d'agir cruelle et sans cœur. Je ne parviens pas à comprendre...

— Vous devriez essayer, coupa le Dr Gérard. Cet épisode, j'en suis convaincu, a procuré à Mrs Boynton une jouissance infinie.

Mr Cope ne cacha pas son indignation :

— Non, monsieur ! martela-t-il. Ça, je ne peux pas le croire. C'est tout bonnement inconcevable.

Encore une fois, le Dr Gérard, paisiblement, se borna à une longue citation :

— « *Alors, je me retournai, et je contemplai tous les abus d'autorité commis sous le soleil. Et j'entendis les pleurs et les lamentations de ceux qui étaient victimes de ces abus et ne trouvaient nulle consolation. Car le pouvoir appartenait aux iniques, d'où nulle consolation ne peut venir. Et j'enviai les morts qui étaient déjà morts, oui, plus que ceux qui traînaient encore dans une vie misérable. En vérité, je le dis, celui qui n'a jamais été a plus de bonheur que celui qui est vivant*

ou mort, car il ignore le mal qui s'est pour toujours
répandu sur la Terre... »

Le psychiatre marqua une pause.

— Cher monsieur, expliqua-t-il, j'ai consacré toute
ma vie à étudier les bizarreries de l'âme humaine. Il
est dangereux de ne considérer que les bons côtés de
l'existence. Si vous ôtez les conventions et les habi-
tudes, vous découvrez un vaste réservoir de perversions. Certains, par exemple, prennent plaisir à se
montrer cruels. Mais il faut creuser encore et là, on
trouve le désir, profond, pitoyable, d'être estimé. Et
s'il n'est pas satisfait, si un être humain, même au
travers d'une personnalité insupportable, n'obtient
pas la satisfaction de ce dont il a besoin, son inconscient recourt à d'autres méthodes. Les perversions
les plus invraisemblables correspondent à ce besoin
de *compter*, d'être *vu*. Le goût de la cruauté, comme
toute autre habitude, peut être cultivé, et il peut
prendre possession d'un être...

— Je pense, Dr Gérard, que vous exagérez un peu,
toussota Mr Cope. Vraiment, l'air, ici, est d'une
pureté...

Il s'éloigna. Le médecin esquissa un sourire. Sarah
avait le front plissé. Son visage gardait le sérieux de
la jeunesse. On dirait, pensa le Dr Gérard, un jeune
juge sur le point de rendre son verdict...

Miss Pierce arrivait à pas précautionneux :

— Nous allons redescendre, maintenant. Oh, Seigneur ! je suis sûre que je ne pourrai pas y arriver,
mais le guide dit que ce n'est pas le même chemin
pour le retour, et que c'est bien plus facile. J'aimerais
bien parce que je n'ai jamais pu regarder dans le
vide.

En fait, le sentier de descente était tracé dans le lit
d'un torrent. Si les pierres instables offraient quelques risques d'entorse, aucun passage n'était vertigi-
neux.

Le groupe revint au camp épuisé, mais de belle
humeur, et prêt à dévorer un déjeuner tardif. Il était
plus de 2 heures.

La famille Boynton était installée autour de la table, dans la tente principale, et achevait son repas.

Lady Westholme, hautaine, les salua d'un :

— Une matinée fascinante. Pétra est un endroit remarquable.

Carol, à laquelle la phrase paraissait avoir été adressée, jeta un bref coup d'œil à sa mère :

— Oh oui... oui, certainement, marmonna-t-elle.

Sur quoi, lady Westholme, convaincue d'avoir sacrifié de manière satisfaisante aux convenances, se pencha vers son assiette.

Pendant le déjeuner, on discuta de l'emploi du temps de l'après-midi.

— Je crois que je vais en passer une bonne partie à me reposer, confia miss Pierce. Il en est ainsi comme en toute chose : point trop n'en faut.

— Moi, je vais explorer les environs, déclara Sarah. Et vous, Dr Gérard ?

— Je crois que je vais vous accompagner.

Mrs Boynton laissa tomber une cuillère avec un bruit retentissant. Tout le monde sursauta.

— Je pense, miss Pierce, que je suivrai votre exemple, dit lady Westholme. Je lirai peut-être pendant une demi-heure, après quoi je m'étendrai un moment. Et puis j'irai sans doute faire quelques pas en fin de journée.

Lentement, aidée par Lennox, Mrs Boynton se dressa sur ses jambes. Regardant tour à tour chacun des membres de sa famille, elle finit par siffler, avec une gentillesse inaccoutumée :

— Si vous voulez mon avis, vous devriez tous aller vous promener.

L'étonnement des enfants Boynton confina au grotesque :

— Mais, Mère, et vous ?

— Je n'ai besoin de personne. Je n'ai qu'une envie, c'est de m'asseoir avec mon livre. Mais il vaut mieux que Jinny ne vous suive pas. Elle va aller s'étendre et faire la sieste.

— Mais je ne suis pas fatiguée, Mère ! Je veux aller avec les autres.

— Tu *es* fatiguée. Tu as la migraine ! Il faut que tu prennes soin de toi. Va t'étendre, et dors ! Je *sais* ce qui est bon pour toi.

— Mais je... je...

La tête rejetée en arrière, la jeune fille défia sa mère. Mais bientôt ses paupières vacillèrent, et elle baissa les yeux.

— Petite dinde, cracha Mrs Boynton. Disparais sous ta tente.

Jinny partit, traînant des pieds. Les autres la suivirent.

— Seigneur ! s'exclama miss Pierce. Voilà des gens bien étranges. Et la mère a un drôle de teint. Ecarlate. Ça vient du cœur, j'imagine. La chaleur doit beaucoup l'éprouver.

« Elle les laisse libres cet après-midi, songea Sarah. Or, elle sait que Raymond a envie d'être avec moi. Alors pourquoi ? Est-ce que ça cache un piège ? »

Dans sa tente, où elle se changeait pour revêtir un ensemble de lin frais, cette pensée la tourmentait encore. Depuis la veille, ses sentiments pour Raymond s'étaient transformés en une passion tendre et protectrice. C'était devenu de l'amour — cette souffrance pour les douleurs de l'autre — ce désir de lui épargner à tout prix le chagrin... Oui, elle aimait Raymond Boynton. Elle revivait l'épisode de saint Georges et le Dragon. A sa manière toute personnelle : c'était elle le preux chevalier et Raymond la malheureuse victime enchaînée.

Le rôle du Dragon était tenu par Mrs Boynton. Un dragon dont la subite amabilité était, pour l'esprit méfiant de Sarah, tout à fait suspecte.

A 3 heures et quart, Sarah retourna à la tente principale. Lady Westholme avait pris place dans un fauteuil de toile. Malgré la température, elle portait son éternelle jupe de tweed. Le rapport d'une commission royale était posé sur ses genoux. Devant la tente, le Dr Gérard faisait la causette à miss Pierce qui cramponnait sous son bras un livre intitulé *A la poursuite de l'amour* et dont le texte de couverture promettait un fleuve tumultueux de péripéties dramatiques.

— J'estime peu sage de s'étendre trop tôt après le déjeuner, minaudait miss Pierce. La digestion, vous comprenez. Seigneur Dieu ! pensez-vous que la vieille dame soit raisonnable de s'installer comme ça au soleil ?

Tous trois se tournèrent vers la falaise. Comme la veille, Mrs Boynton s'était assise à l'entrée de sa caverne, telle un Bouddha. On ne voyait personne d'autre dans le camp. Tout le personnel se consacrait à la sieste. A quelque distance, un petit groupe suivait le fond de la vallée.

— Pour une fois, ironisa le Dr Gérard, la douce maman leur a permis de s'amuser tout seuls. Encore une de ses entourloupettes, peut-être bien.

— Savez-vous, répliqua Sarah, que c'est exactement ce que je pensais ?

— Nous avons tous les deux l'esprit soupçonneux. Venez, rattrapons ces garnements.

Et, laissant miss Pierce à ses lectures palpitantes, ils s'en furent. A un détour du sentier, ils rejoignirent le petit groupe qui cheminait à pas lents. Pour une fois, les Boynton semblaient gais et détendus.

Il ne fallut pas bien longtemps pour que Lennox et Nadine, Carol et Raymond, Mr Cope qui arborait un large sourire, et Sarah et le Dr Gérard ne se lancent tous ensemble dans une grande conversation ponctuée de rires.

L'ambiance était marquée d'une sorte de joie sauvage. Chacun sentait que cet après-midi offrait un plaisir arraché au malheur — un bonheur dérobé dont il fallait profiter. Sarah ne s'était pas isolée avec Raymond. Au contraire, elle devisait gaiement avec Carol et Lennox, tandis que Raymond et le Dr Gérard allaient côte à côte. Nadine et Jefferson Cope fermaient la marche.

Ce fut le médecin qui rompit le charme. Depuis un moment, il paraissait s'exprimer avec difficulté. Soudain, il s'arrêta :

— Mille excuses, mais je crains de devoir vous fausser compagnie.

— Un malaise ? demanda Sarah.

— Oui, de la fièvre. Je la sentais monter depuis le déjeuner.

— Paludisme ?

— Oui. Je vais rentrer et prendre de la quinine. J'espère que ce ne sera pas une grosse crise. C'est un petit souvenir que j'ai rapporté d'un voyage au Congo.

— Voulez-vous que je vous accompagne ?

— Non, non. J'ai ma trousse sous ma tente. Quelle barbe, vraiment ! Mais continuez, vous tous.

Il se hâta en direction du camp.

Pendant un moment, les six promeneurs restants demeurèrent ensemble. Puis, peu à peu, Sarah et Raymond s'écartèrent. Ils marchèrent longuement, escaladant les rochers, grimpant à l'assaut des corniches avant de se reposer enfin dans un coin d'ombre.

Il y eut un silence. Puis Raymond demanda :

— Comment vous appelez-vous ? King, je sais. Mais votre prénom ?

— Sarah.

— Sarah. Je peux vous appeler comme ça ?

— Bien sûr.

— Sarah, voulez-vous me parler de vous ?

S'adossant au roc, elle raconta sa vie chez elle, dans le Yorkshire, ses chiens, et la tante qui l'avait élevée.

A son tour, avec des mots qu'il avait peine à trouver, Raymond lui conta un peu de son existence.

Puis, longtemps, ils demeurèrent silencieux. Leurs mains s'étreignirent. Ils étaient là, comme deux enfants, main dans la main, étrangement heureux.

Le soleil déclinait à l'horizon. Raymond se mit debout :

— Je vais rentrer maintenant, dit-il. Non, pas avec

vous. Je veux rentrer seul. Il y a quelque chose que j'ai à dire et à faire. Quand ce sera fait, quand je me serai prouvé à moi-même que je ne suis pas un lâche... alors... alors je n'aurai pas honte de venir vous trouver et de vous demander de m'aider. J'aurai besoin d'aide, vous savez. Il faudra peut-être même que je vous emprunte de l'argent.

Sarah sourit :

— Je suis heureuse que vous fassiez preuve de réalisme. Vous pouvez compter sur moi.

— Mais d'abord, il faut que je fasse tout seul ce que j'ai à faire.

— Mais faire *quoi* ?...

Les traits juvéniles de Raymond se figèrent :

— Je dois prouver mon courage. Maintenant ou jamais...

Puis, sans autre explication, il tourna les talons et partit à grandes enjambées.

Songeuse, Sarah suivit des yeux la silhouette qui s'éloignait. Sans qu'elle puisse comprendre pourquoi, les paroles de Raymond l'avaient mise en alarme. Elle l'avait senti si grave — si tendu. Une seconde, elle regretta de ne pas l'avoir suivi...

Mais elle se le reprocha aussitôt. Raymond avait voulu être seul pour mettre à l'épreuve son courage tout neuf. C'était son droit.

De tout son cœur, elle pria pour que ce courage ne lui fasse pas défaut...

Le soleil basculait derrière l'horizon quand Sarah revit le camp. Au fur et à mesure qu'elle s'en approchait, elle distinguait mieux Mrs Boynton, toujours assise devant sa caverne. Sans pouvoir s'en empêcher, elle frissonna face à cette idole figée dans son immobilité.

Elle se hâta de pénétrer dans la tente principale, déjà éclairée.

Lady Westholme, un écheveau autour du cou, tricotait un chandail de laine tout en prononçant, à l'attention de miss Pierce qui brodait des myosotis d'un bleu anémique sur une nappe, une conférence sur la nécessaire réforme des lois sur le divorce.

Les serviteurs firent leur entrée pour les préparatifs du dîner. Au fond de la tente, assis dans leurs fauteuils, les enfants Boynton lisaient. Mahmoud, plein de dignité malgré sa corpulence, se permit quelques reproches. Après le thé, il avait été prévu une très belle excursion. Mais personne n'était au camp. Et maintenant le programme tombait à l'eau. Ç'aurait pourtant été une visite très intéressante à des ruines nabatéennes.

Sarah ne manqua pas de dire qu'ils avaient tous profité d'un bel après-midi.

En revenant de sa tente où elle s'était changée, elle s'arrêta un instant devant celle du Dr Gérard et appela, à voix basse :

— Dr Gérard ?...

Il n'y eut pas de réponse. Elle souleva la portière et glissa un regard. Le médecin gisait sur son lit, immobile. Sarah se retira sur la pointe des pieds, avec l'espoir qu'il dormait.

L'un des serviteurs vint à elle et lui désigna la tente principale. Il était évident que le dîner n'attendait plus qu'elle. Elle se hâta. Tous les autres convives avaient déjà pris leur place, à l'exception de Mrs Boynton et du Dr Gérard. On envoya un serviteur chercher la vieille dame.

Dehors, il y eut soudain de l'agitation. Deux des serviteurs, apparemment effrayés, accoururent et donnèrent à Mahmoud de longues explications en arabe.

Le *drogman* promena autour de lui un œil déconcerté, puis sortit. D'un bond, Sarah le suivit.

— Qu'est-ce qui se passe ? interrogea-t-elle.

— C'est la vieille dame, souffla Mahmoud. Abdul dit qu'elle est malade... qu'elle ne peut pas bouger...

— Je vais voir.

Précédée de Mahmoud, elle grimpa à travers les rochers pour parvenir au personnage éléphantesque tassé dans le fauteuil. Elle toucha la main adipeuse, chercha le pouls, se pencha...

Quand elle se redressa, elle était blême.

Elle regagna la tente principale à grandes enjambées. Sur le seuil, elle marqua un temps d'arrêt, fixant le groupe des Boynton. Quand elle parla enfin, il lui sembla que son timbre avait des sonorités artificielles.

— Je suis désolée, dit-elle.

Puis, se forçant à ne s'adresser qu'à Lennox, le chef de famille, elle reprit :

— *Votre mère est morte, Mr Boynton.*

Et, non sans curiosité, comme si elle n'avait été qu'un observateur lointain, elle contempla l'effet de ce qu'elle venait de dire sur les visages des cinq personnes qui voyaient devant eux s'ouvrir les portes de la liberté...

DEUXIÈME PARTIE

1

Le colonel Carbury adressa par-dessus la table un sourire à son hôte et leva son verre :

— Eh bien, au crime !...

Hercule Poirot cligna de l'œil pour marquer qu'il approuvait un toast aussi judicieux.

Il était arrivé à Amman avec une lettre d'introduction du colonel Race pour le colonel Carbury. Et Carbury avait souhaité faire la connaissance de ce personnage archi-célèbre dont les mille et un dons provoquaient de telles louanges de la part de son vieil ami et allié au sein de l'Intelligence Service.

« Le plus superbe exemple de déduction psychologique qu'il m'ait été donné de juger ! » avait écrit le colonel Race à propos de la solution de l'affaire Shaitana[1].

— On va vous montrer tout ce qu'on pourra du coin, grommela le colonel Carbury sans cesser de tortiller de deux doigts distraits une moustache broussailleuse et taillée à la diable.

C'était un homme trapu, pas très net — pour ne pas dire débraillé —, entre deux âges, au crâne à moitié dégarni et à l'œil pleurard d'un bleu délavé. Son allure n'avait rien de militaire. Son comportement habituel le faisait aisément passer pour léthargique. Rien n'indiquait en lui le goût de la discipline.

1. *Cartes sur table.*

Et pourtant, dans la Transjordanie tout entière, le colonel Carbury était à lui seul une puissance.

— Il y a Jérash, par exemple, reprit-il. Ce genre de truc vous intéresse ?

— A tout je m'intéresse ! baragouina Poirot, malmenant, comme à son habitude, la langue de Shakespeare.

— Parfait. C'est la seule bonne façon de réagir dans l'existence. Au fait, dites-moi, vous n'avez jamais trouvé que votre travail un peu particulier vous poursuivait partout ?

— Je vous demande pardon ?

— Eh bien, pour dire les choses crûment, vous est-il arrivé de partir à l'autre bout du monde pour échapper au crime et d'y tomber sur un joli boisseau de cadavres ?

— Ça m'est arrivé, oui. Et plus souvent qu'à mon tour.

— Hum ! mâchonna le colonel, apparemment perdu dans des pensées moroses.

Puis il s'ébroua :

— Moi, j'ai sur les bras un cadavre qui me tarabuste.

— Ah bon ?

— Oui. Ici, à Amman. Une vieille Américaine. Elle était partie pour Pétra avec sa petite famille. Un voyage éprouvant, des problèmes cardiaques, des fatigues plus fortes que prévu, le cœur qui en prend en coup — bref, elle a passé l'arme à gauche.

— Ici ? A Amman ?

— Non, là-bas, à Pétra. On a ramené le corps aujourd'hui.

— Allons bon !

— Tout paraît naturel. Et c'est parfaitement possible. Et même plus que probable. Seulement...

— Seulement ?

— J'ai comme dans l'idée, confia le colonel en tâtant sa calvitie, que c'est sa famille qui lui a fait passer le goût du pain.

— Tiens ! tiens ! Et qu'est-ce qui vous fait penser ça ?

Le colonel Carbury biaisa :

— Il semble qu'il se soit agi d'une horrible vieille peau — le genre de perte dont on se remet. De l'avis général, c'est une bonne chose qu'elle ait claqué. Et de toute façon, ce ne sera pas commode de prouver quoi que ce soit tant que les enfants feront bloc et mentiront au besoin comme des arracheurs de dents. Naturellement, personne ne veut de complications — et encore moins des complications internationales ! Le plus simple serait de laisser courir. A vrai dire, on n'a rien à se mettre sous la dent. J'ai eu un copain toubib, autrefois. Il m'a raconté qu'il lui était souvent arrivé d'avoir des soupçons — qu'il avait l'impression que ses patients étaient passés dans l'autre monde avec un peu d'avance sur le programme ! Il m'a dit aussi que la meilleure solution, dans ces cas-là, c'était de ne pas bouger si on n'avait pas des éléments vraiment solides sur quoi s'appuyer ! Sinon, vilaine affaire, culpabilité non démontrée — et un mauvais point dans le dossier d'un honnête praticien surchargé. Vous voyez le topo. Mais tout de même...

Il marqua un temps et se gratta à nouveau le crâne.

— Moi, ce que j'aime, c'est ce qui est net, siffla-t-il de manière tout à fait inattendue.

Le nœud de cravate du colonel avait pris position sous son oreille gauche, ses chaussettes tirebouchonnaient et son veston froissé était maculé de taches. Mais Hercule Poirot s'abstint de sourire. Il sentait bien que le colonel, sous ses apparences quelque peu hirsutes, cachait un esprit clair, un cerveau méthodique et des intuitions solidement argumentées.

— Oui, j'aime ce qui est net, répéta le colonel, en agitant une main bénisseuse. J'ai horreur de ce qui fait désordre. Et quand je tombe sur un merdier, il faut que je le nettoie. Vous voyez ?

Hercule Poirot acquiesça lentement. Il voyait.

— Il n'y avait pas de médecin sur les lieux ? demanda-t-il.

— Si, deux. Le premier sur le flanc, avec une bonne crise de palu. L'autre, c'est une donzelle — qui vient tout juste de décrocher l'internat, mais qui doit quand même connaître son métier. D'ailleurs, il n'y a rien qui cloche dans cette mort. La vieille avait le cœur fragile. Elle prenait des médicaments depuis un bon bout de temps. Ce n'est pas vraiment surprenant qu'elle ait passé l'arme à gauche comme ça, d'un coup.

— En ce cas, très cher, qu'est-ce qui vous inquiète ? murmura Poirot.

Le colonel Carbury leva des yeux las :

— Un Français du nom de Gérard, Théodore Gérard, ça vous dit quelque chose ?

— Bien sûr. Dans sa partie, c'est un as.

— Il fait dans les doux dingues, crut bon de préciser le colonel. Le style : « Vous avez craqué pour la femme de ménage de votre mère quand vous aviez quatre ans, ce qui explique que vous vous preniez pour l'archevêque de Canterbury maintenant que vous en avez trente-huit. » Je ne vois pas le rapport et je ne le verrai jamais — mais ces oiseaux-là vous expliquent ça de manière très convaincante.

— Le Dr Gérard jouit d'une très grande réputation dans le domaine des névroses profondes, sourit Poirot. Ses... euh... ses conclusions sur ce qui s'est passé à Pétra reposent sur des théories de cet acabit ?

Le colonel secoua la tête avec vigueur :

— Non, pas du tout. Si ç'avait été le cas, je ne m'en serais pas occupé ! Notez bien que ce n'est pas que je refuse d'y croire. Simplement, je ne pige pas — comme quand je suis perdu en plein désert et qu'un bédouin sort de la voiture, tâte le sol avec la main et vient me dire, à un ou deux kilomètres près, ou j'ai échoué. Ça n'est pas de la magie, mais ça y ressemble. Non, ce que raconte le Dr Gérard est sans chichi.

Rien que des faits. Je pense que, si vous êtes intéressé... Vous *êtes* intéressé ?

— Oui, bien sûr.

— Merci. Je crois que je vais faire passer un coup
de fil à Gérard pour lui demander de venir ici.
Comme ça, vous pourrez vous faire une idée par
vous-même.

Dès que le colonel eut chargé l'un de ses ordon-
nances de cette tâche urgente, Poirot s'enquit :

— C'est quoi au juste, cette famille ?

— Ils s'appellent Boynton. Il y a deux fils, dont un
qui est marié. Sa femme est ravissante — le genre
beauté calme, sensée, les pieds sur terre. Et puis
deux filles, assez jolies dans des types très différents.
La plus jeune est de type hyperémotif. Mais c'est
peut-être dû au choc.

— Boynton, répéta Poirot, les sourcils en accents
circonflexes. Ça, c'est curieux... très curieux.

Le colonel Carbury lui lança un regard inquisiteur.
Mais, comme Poirot gardait le silence, il poursuivit :

— Il semble évident que la mère était une enquiquineuse. Qu'il fallait qu'on soit en permanence aux
petits soins avec elle et que, par-dessus le marché,
elle les menait tous par le bout du nez. En plus,
c'était elle qui tenait les cordons de la bourse. Aucun
des enfants n'avait un sou vaillant.

— Ah, ah ! Très intéressant. On sait comment elle
a réparti sa fortune ?

— J'ai posé la question, comme ça, sans avoir l'air
d'y toucher. L'argent sera divisé en parts égales entre
les enfants.

Poirot hocha la tête :

— Vous pensez qu'ils sont tous dans le coup ?

— Je n'en sais rien. C'est bien ça le problème.
Est-ce que les rejetons ont agi de concert, ou bien
est-ce que c'est l'un d'entre eux qui a eu une brillante
idée ? Je donne ma langue au chat. D'autant qu'après
tout, ce n'est peut-être que du vent ! C'est pourquoi
ce que je voudrais, c'est entendre votre son de cloche... Ah ! voici Gérard qui s'amène !

2

Le Français était entré d'un pas vif, mais sans se presser outre mesure. Tout en serrant la main du colonel, il jeta à Hercule Poirot un coup d'œil pénétrant.

— Je vous présente M. Hercule Poirot, dit le colonel Carbury. Il passe quelques jours chez moi. J'étais justement en train de lui parler de l'affaire de Pétra.

— Ah bon ?

Le Dr Gérard détailla le détective de la tête aux pieds :

— Et ça vous intéresse ?

Poirot leva les bras au ciel :

— Voyons ! Qui peut rester indifférent à ce qui relève de sa profession ?

— C'est ma foi vrai, convint le médecin.

— Je vous offre un verre ? proposa le colonel.

Il versa avec dextérité whisky et soda dans un gobelet qu'il apporta au Dr Gérard. Du geste, il fit la même proposition à Poirot, mais ce dernier s'empressa de refuser. Le colonel se rassit et rapprocha un peu plus son fauteuil.

— Eh bien, dit-il, où en sommes-nous ?

— J'ai le sentiment, confia Poirot au médecin, que le colonel Carbury n'est pas content.

— C'est ma faute ! concéda le Dr Gérard avec un geste expressif. Et je me trompe peut-être du tout au tout. Ne perdez pas ça de vue, colonel : je peux me tromper du tout au tout.

— Racontez les faits à Poirot, grommela Carbury.

Le Dr Gérard se livra à une récapitulation sommaire des événements précédant le départ pour Pétra. Il esquissa aussi le portrait de chacun des membres de la famille Boynton, et s'efforça de décrire cliniquement les contraintes affectives auxquelles ils avaient été soumis.

Poirot n'en perdit pas une syllabe.

Puis le médecin en vint à l'affaire proprement dite,

et raconta dans quelles conditions il avait dû retourner au camp :

— J'étais parti pour une crise sévère de paludisme méningé. Et j'avais l'intention de m'administrer une bonne intraveineuse de quinine. C'est la méthode courante.

Branlant du chef, Poirot manifesta son intérêt.

— J'avais une fièvre de cheval, continua le médecin. J'ai failli tourner de l'œil sous ma tente. Et puis je n'arrivais plus à trouver ma trousse. Quelqu'un l'avait déplacée. Enfin, quand je suis tombé dessus, c'est ma seringue hypodermique qui avait disparu. Je l'ai cherchée pendant un moment, et puis j'ai abandonné. J'ai absorbé une bonne dose de quinine par voie orale, et je me suis jeté sur mon lit.

Le Dr Gérard marqua une pause, le temps de savourer une lampée de whisky, et reprit :

— La mort de Mrs Boynton n'a été découverte qu'au coucher du soleil. Compte tenu de la façon dont elle était assise, et du soutien fourni par son fauteuil, elle n'avait pas changé de position. Par conséquent, la posture du corps n'avait pas de quoi attirer l'attention, et c'est seulement quand un des boys est venu la chercher pour le dîner, vers 18 h 30, qu'on s'est aperçu que quelque chose clochait.

Il décrivit la topographie des lieux, précisa l'emplacement de la caverne et insista sur son éloignement de la tente principale :

— C'est miss King, diplômée en médecine, qui a examiné le corps. En raison de ma fièvre, elle n'avait pas voulu me déranger. Naturellement, il n'y avait plus rien à faire : Mrs Boynton était morte — et depuis un petit moment.

— Combien de temps au juste ? demanda Poirot.

— Je ne crois pas, répliqua le Dr Gérard avec lenteur, que miss King ait accordé une grande attention à ce détail. J'imagine qu'elle a considéré que cela n'avait pas grande importance.

— On sait au moins à quelle heure Mrs Boynton a été vue en vie pour la dernière fois ?

S'éclaircissant la voix, le colonel Carbury se saisit d'un procès-verbal :

— Lady Westholme et miss Pierce ont adressé la parole à Mrs Boynton peu après 16 heures. Lennox Boynton a parlé avec sa mère aux environs de 16 h 30. Mrs Lennox Boynton a eu une longue conversation avec elle environ cinq minutes plus tard. Carol Boynton, de son côté, a échangé quelques mots avec la défunte à une heure qu'elle ne peut préciser — mais qui, à en croire les autres témoignages, devrait se situer vers 17 h 10.

« D'autre part, Jefferson Cope, un ami américain de la famille, rentrant au camp avec lady Westholme et miss Pierce, l'a trouvée endormie. Il ne lui a pas adressé la parole. Ça, ça se situait à environ 17 h 40. Il semble bien que Raymond Boynton, le fils cadet, ait été la dernière personne à la voir en vie. A son retour de promenade, il est allé lui parler vers 17 h 50. Le cadavre a été découvert à 18 h 30, quand l'un des serviteurs est venu la chercher pour le dîner.

— Entre le moment où Raymond Boynton lui a parlé et 18 h 30, personne ne s'est approché d'elle ? demanda Poirot.

— Apparemment, non.

— Mais il faut bien que quelqu'un l'ait fait ! insista Poirot.

— Je ne vois pas... A partir de 18 heures, les serviteurs indigènes allaient et venaient, et les touristes entraient ou sortaient de leur tente. Aucun des témoins n'a vu qui que ce soit s'approcher de la vieille.

— Autrement dit, Raymond Boynton est en tout état de cause le dernier à avoir vu sa mère vivante ? constata Poirot.

Le Dr Gérard et le colonel Carbury échangèrent un regard. Le colonel pianota sur sa table.

— C'est là que nous sommes dans le bleu, reconnut-il. Allez-y Gérard, c'est votre bébé.

— Comme je viens de vous le dire, Sarah King, quand elle a examiné le cadavre, n'a pas éprouvé le besoin de déterminer l'heure du décès. Elle s'est contentée de dire que Mrs Boynton était morte « depuis un petit moment ». Seulement quand, le lendemain, pour des raisons qui me sont propres, j'ai essayé de préciser les choses et que j'ai évoqué le fait que Mrs Boynton avait été vue en vie pour la dernière fois par son fils Raymond peu avant 18 heures, miss King, à ma grande surprise, a affirmé de but en blanc que c'était impossible — qu'à cette heure-là, Mrs Boynton était certainement déjà morte.

Hercule Poirot haussa les sourcils :

— Bizarre. Extrêmement bizarre. Et qu'en dit Raymond Boynton ?

— Il jure que sa mère était bien vivante, jeta le colonel. A l'en croire, il est allé la trouver et lui a dit : « Je suis de retour. Est-ce que vous avez passé un bon après-midi ? » Une banalité dans ce goût-là. Qu'elle a gratifiée d'un grommellement : « Très bon, merci. » Sur quoi il a gagné sa tente.

Pensif, Hercule Poirot plissait le front :

— Curieux. Extrêmement curieux. Dites-moi, c'était déjà le crépuscule ?

— Le soleil venait juste de se coucher.

— Curieux, répéta Poirot. Et vous, Dr Gérard, à quelle heure avez-vous vu le corps ?

— Seulement le lendemain matin. A 9 heures, pour être précis.

— Et à quelle heure estimez-vous que la mort est survenue ?

— Après un tel laps de temps, répondit le médecin en haussant les épaules, on ne peut émettre que des conjectures. La marge d'erreur est forcément considérable. Si j'avais à déposer sous serment, je dirais seulement qu'au moment où j'ai pu voir sa dépouille, Mrs Boynton était morte depuis douze heures au moins, et dix-huit heures au plus. Vous voyez que ça ne nous aide pas beaucoup.

— Allez, Gérard, ordonna le colonel. Finissez de vider votre sac.

— En me réveillant le lendemain matin, j'ai

retrouvé ma seringue. Elle était dissimulée derrière des flacons, sur ma table de toilette.

Il se pencha en avant :

— On peut évidemment prétendre que, la veille, elle m'avait échappé. La fièvre, les étourdissements — c'est vrai que je tremblais comme une feuille. Et puis, à qui n'est-il pas arrivé de rechercher un objet qu'il a sous le nez et qu'il est incapable de trouver ? Pourtant, je suis formel : à ce moment-là, ma seringue n'était *pas* dans mes affaires.

— Il y a encore autre chose qu'il faut que vous ajoutiez, releva le colonel.

— Oui, encore deux éléments, dont je ne sais la portée exacte, mais qui peuvent être significatifs. Au poignet de la morte, il y avait une marque — comme celle que provoquerait une aiguille hypodermique. Mais sa fille l'attribue à la piqûre d'une épingle de nourrice...

— Quelle fille ? s'enquit Poirot.

— Carol.

— Poursuivez, je vous en prie.

— Dernier point : quand j'ai regardé ma petite pharmacie personnelle, j'ai remarqué que mon flacon de digitoxine était très entamé.

— De la digitoxine, observa Poirot. C'est un poison, non ?

— Oui. On l'extrait de la digitale pourprée, qu'on appelle aussi gant de la Vierge. Elle contient quatre principes actifs : la digitaline, la digitonine, la digitaléine et la digitoxine. Des quatre, la digitoxine est considérée comme le constituant le plus dangereux de la digitale. Selon les résultats des expériences de Kopp, la digitoxine est de six à dix fois plus active que la digitaline ou que la digitaléine. Chez nous, en France, c'est une vérité reconnue — mais la pharmacopée britannique ne l'a pas encore admis.

— Et que peut causer une dose importante de digitoxine ?

— Injectée en une seule fois, par voie intraveineuse, expliqua le Dr Gérard, très froid, une dose

importante de digitoxine provoque une mort instan-
tanée par accélération foudroyante du rythme cardiaque. On estime en général que quatre milligram-
mes suffisent à tuer un adulte.

— Or, Mrs Boynton souffrait déjà de problèmes
cardiaques ?

— Absolument. Elle prenait d'ailleurs un médicament à base de digitaline.

— Voilà qui est du plus haut intérêt, estima Poirot.

— Vous voulez dire, coupa le colonel Carbury,
qu'on aurait pu essayer de faire attribuer son décès à
un abus de son propre médicament ?

— Il y a de ça, oui, bien sûr. Mais je vois aussi plus
loin.

— D'une certaine façon, reprit le Dr Gérard, la
digitaline peut être considérée comme une drogue à
effets cumulatifs. En outre, si la digitaline peut tuer,
elle ne laisse pas de traces à l'examen *post mortem*.

Poirot ne cacha pas sa satisfaction :

— Oui, c'est bien pensé... très bien pensé. Devant
un jury, on ne pourrait rien prouver. Permettez-moi
de vous dire, messieurs, que si nous avons affaire à
un meurtre, c'est un meurtre admirablement mani-
gancé ! On remet la seringue en place, on emploie un
toxique que la victime prenait déjà régulièrement —
tout devrait porter à croire à une erreur, ou à un
accident. Je sens derrière tout ça un cerveau. Il y a là
réflexion... habileté... génie.

Pendant un moment, les trois hommes gardèrent
le silence, puis Hercule Poirot leva la tête :

— Et pourtant, quelque chose me surprend.

— Quoi donc ?

— Le vol de la seringue.

— On l'a bel et bien volée, affirma le Dr Gérard.

— Volée — et rendue ?

— Oui.

— Bizarre, murmura Poirot. Sinon, tout collerait
tellement bien...

Le colonel Carbury ne put dissimuler plus long-temps sa curiosité :

— Eh bien ? Quel est votre sentiment d'expert ? C'était un meurtre ou ce n'était pas un meurtre ?

Poirot dressa un index sentencieux :

— Pas si vite. Nous n'en sommes pas encore là. Il nous reste des témoignages à prendre en considération.

— Des témoignages ? Nous les connaissons tous !

— Que nenni, mes bons messieurs ! Il y a encore *mon témoignage à moi, Hercule Poirot,* que je dois maintenant vous donner.

Le détective sourit des visages surpris de ses deux compagnons :

— Eh oui, c'est tordant, non ? Que ce soit vous qui m'ayez raconté toute l'histoire, et que ce soit pourtant moi qui, maintenant, vous apporte un élément de preuve que vous ignoriez. Voici comment les choses se sont passées. Un soir, à l'hôtel du *Roi Salomon,* je suis allé à la fenêtre pour vérifier qu'elle était bien fermée...

— Fermée — ou ouverte ? coupa le colonel.

— Fermée, confirma Poirot sans s'émouvoir. La fenêtre était ouverte et, comme de bien entendu, il me fallait la fermer. Mais juste avant de le faire, alors que j'avais encore la main sur la poignée, j'ai entendu une voix — une voix sympathique, basse et nette, qui tremblait d'exaltation. J'ai aussitôt pensé que c'était une voix qu'il m'adviendrait de réentendre. Et que disait-elle donc, cette voix ? Elle disait : « *Tu vois bien qu'il faut la tuer, non ?* »

» Sur le moment, il va de soi que je n'ai pas pensé le moins du monde à un assassinat. J'ai imaginé que c'était un romancier qui rodait ses phrases, ou un auteur dramatique qui essayait une réplique. Mais maintenant, *je n'en suis plus si sûr.* C'est-à-dire, en fait, que j'ai la certitude que cela n'avait rien à voir avec la littérature.

Le petit détective belge prit le temps de faire son effet :

— Messieurs, je puis vous dire ceci : pour autant que je le sache, ces mots ont été prononcés par un jeune homme que j'ai vu plus tard dans le hall de l'hôtel. Et quand je me suis renseigné, on m'a dit que ce jeune homme s'appelait Raymond Boynton.

3

— Raymond Boynton a dit ça ! s'exclama le Dr Gérard.

— Vous estimez que ce n'est pas cohérent — psychologiquement parlant ? s'enquit Poirot, pince-sans-rire.

Le psychiatre secoua la tête :

— Non, ce n'est pas ce que j'ai à l'esprit. J'ai été surpris, bien sûr. Mais suivez-moi bien : je ne l'ai été que parce que je pensais déjà que Raymond Boynton campait par trop le suspect idéal.

Le colonel Carbury soupira. « Ces coupeurs de cheveux en quatre ! » semblait-il se désoler.

— La seule et unique question, grommela-t-il, c'est : qu'est-ce que nous faisons de tout ça ?

Le Dr Gérard haussa les épaules :

— Je ne vois pas très bien ce que nous pourrions en faire. Un témoignage comme celui-là ne mène nulle part. Vous pouvez être convaincu qu'un meurtre a été commis et, dans le même temps, incapable de le prouver.

— Eh bien, bravo ! grinça le colonel. Nous avons l'intime conviction qu'il y a eu meurtre et nous restons plantés là à nous tourner les pouces ! Je n'aime pas ça !

Sur quoi il réitéra — comme s'il se sentait le besoin de s'excuser — son étonnante profession de foi :

— Moi, ce que j'aime, c'est ce qui est net !

— Je sais, je sais, répliqua Poirot, affable. Vous voudriez que les choses soient claires. Vous voudriez savoir sans ambiguïté ce qui s'est passé et comment ça s'est passé. Et vous, Dr Gérard ? Vous nous avez dit qu'il n'y avait rien à faire — que mon témoignage ne pouvait nous mener nulle part. C'est probablement exact. Mais êtes-vous pour autant convaincu que nous devions en rester là ?

— La victime souffrait, dit le médecin, pensif. De toute façon, elle n'aurait pas énormément tardé à mourir. Dans huit jours... dans un mois... dans un an...

— Donc, vous estimez qu'il faut en rester là ? insista Poirot.

— Il ne fait aucun doute que cette mort a représenté — si j'ose dire — une bouffée d'air frais pour son entourage. Elle a libéré sa famille. Les enfants Boynton vont enfin pouvoir se développer et s'épanouir — ce sont tous, je crois, des êtres dotés de personnalité et d'intelligence. Ils vont enfin pouvoir devenir membres à part entière de la société. De mon point de vue, la mort de Mrs Boynton n'a apporté que du bien.

— Vous vous estimez donc satisfait ? insista une fois encore Poirot.

Le Dr Gérard frappa du poing sur la table :

— Non. Je ne suis pas « satisfait », comme vous dites ! Mon instinct à moi, c'est de défendre la vie — pas de creuser des tombeaux. Même si, la tête froide, je peux penser que la mort de cette femme est un bien, mon inconscient tout entier se révolte contre cette idée ! *Il n'est jamais bon, messieurs, qu'un être humain meure avant que son heure ait sonné.*

Poirot se rasséréna. Jouissant de cette réponse qui s'était tellement fait attendre, il s'enfonça un peu plus dans son fauteuil.

— Il n'aime pas le meurtre, trancha le colonel sans autrement s'émouvoir. Il a bien raison. Moi non plus.

Il se leva pour se servir un grand whisky-soda. Le verre du Dr Gérard était encore presque plein.

— Maintenant, reprit-il, revenons à nos moutons. Que pouvons-nous faire ? Cette histoire ne nous plaît pas — mais alors là, pas du tout ! Mais il se peut que nous soyons obligés de laisser tomber ! A quoi bon faire des vagues si nous sommes incapables d'arriver à des conclusions probantes.

— En tant que professionnel, quel est votre avis, monsieur Poirot ? demanda le Dr Gérard. L'expert, ici, c'est vous.

On eût dit que Poirot souhaitait faire languir son auditoire... Il prit le temps d'arranger méthodiquement les cendriers placés devant lui et de bâtir un petit monticule d'allumettes usagées.

— Mon colonel, dit-il enfin, vous souhaitez, n'est-il pas vrai ? savoir *qui a tué Mrs Boynton* (ceci dans l'hypothèse où elle a *bel et bien* été tuée et où la mort n'a pas été naturelle) et très précisément *quand et comment* elle a été tuée. Tout bonnement, c'est la vérité qu'il vous faut.

— Oui, c'est ce que je souhaite.

— Eh bien, fit lentement Poirot, je ne vois aucune raison pour que vous ne l'obteniez pas.

Le Dr Gérard afficha son incrédulité. Le colonel, son scepticisme goguenard :

— Tiens, tiens ! Vous ne voyez aucune raison... Remarquable, très remarquable. Et comment vous proposez-vous d'obtenir un si beau résultat ?

— Par la recherche méthodique des preuves, par le raisonnement.

— Voilà qui me botte, comme dirait l'autre, ironisa grassement le colonel.

— Ainsi que par l'examen approfondi des données psychologiques.

— Ça, ça mettra du baume sur le cœur du Dr Gérard. Et au bout du compte, quand vous aurez rassemblé des preuves, utilisé vos petites cellules grises et potassé la psychologie en trois coups de cuillère à pot, vous allez pouvoir sortir le lapin de votre chapeau ?

— Je serais tout à fait surpris de ne pas y parvenir, lâcha Poirot avec une belle simplicité.

Le colonel le fixa par-dessus la monture de ses lunettes, d'un regard qui jaugeait, qui appréciait.

Il reposa son verre et grogna :

— Qu'en pensez-vous, docteur ?

— Je dois confesser mon scepticisme quant à l'heureuse issue de l'entreprise... Et pourtant je n'ignore rien du talent de M. Poirot.

— J'ai quelques dons, je vous l'accorde, voulut bien admettre le petit détective sans trop de fausse modestie.

Le colonel détourna la tête pour donner libre cours à une violente quinte de toux.

— Notre première tâche, expliqua doctement Poirot, c'est de déterminer s'il s'agit d'un meurtre collectif, prémédité et commis par l'ensemble de la famille Boynton ou si c'est l'œuvre d'un seul d'entre eux. Et, dans ce dernier cas, de repérer l'auteur le plus probable.

— Il y a votre propre témoignage, fit remarquer le Dr Gérard. Il faut, je crois, s'intéresser d'abord à Raymond Boynton.

— J'en conviens. Les paroles que j'ai surprises d'une part et, d'autre part, les contradictions entre ses déclarations et celles de la jeune doctoresse le mettent au premier rang des suspects.

» Il est le dernier à avoir vu Mrs Boynton vivante. C'est du moins ce qu'il prétend. Sarah King affirme le contraire. Dites-moi, docteur, n'y aurait-il pas entre ces deux-là une certaine... appelons ça *inclination mutuelle* ?

Le Français acquiesça de la tête :

— Ah, ça, absolument.

— Hon, hon ! Et cette jeune femme, ne serait-ce pas une brune aux longs cheveux tirés en arrière, aux grands yeux noisette et à l'allure décidée ?

Le Dr Gérard ne cacha pas sa surprise :

— C'est exactement son signalement.

— Je crois que je l'ai vue au *Roi Salomon*. Elle a adressé quelques mots à Raymond Boynton, après quoi il est resté planté là, comme un songe-creux, à bloquer la porte de l'ascenseur. J'ai dû répéter « pardon » sur tous les tons avant qu'il ne m'entende et condescende à s'écarter.

Poirot s'absorba dans une courte méditation, puis reprit :

— Donc, pour commencer, nous ne pouvons pas accepter sans réserve les constatations *post mortem* de miss Sarah King, qui a toutes les raisons de manquer d'objectivité. Docteur, la personnalité de Raymond Boynton peut-elle le pousser facilement à tuer ?

— Vous parlez de meurtre prémédité ? Oui, je pense que c'est possible — mais seulement dans un état de crise émotionnelle intense.

— C'était le cas ?

— Certainement. Ce voyage à l'étranger a, sans aucun doute, intensifié la tension nerveuse et mentale dans laquelle vivaient tous ces gens. Le contraste entre leur vie personnelle et celle des gens en général leur est devenu plus insupportable encore. Et, en ce qui concerne Raymond Boynton...

— Oui ?

— ... il convient d'ajouter le facteur supplémentaire que constitue son attirance pour miss King.

— Cela lui aurait donné un mobile de plus ? Une raison nouvelle d'agir ?

— C'est bien ça.

Le colonel toussota :

— Désolé de vous interrompre, mais j'aimerais en placer une. Cette phrase que vous avez entendue : « *Tu vois bien qu'il faut la tuer, non ?* » Elle a bien dû être adressée à quelqu'un ?

— Bonne remarque, le félicita Poirot. C'est un point que je n'ai pas perdu de vue. Oui, à qui parlait donc Raymond Boynton ? A l'un des membres de la famille, à coup sûr. Mais lequel ? Docteur, pouvez-

111

vous nous décrire brièvement la condition mentale des autres ?

— Carol se trouvait selon moi dans le même état d'esprit que Raymond. En pleine révolte, extrêmement nerveuse, sans cependant qu'il y ait, à la différence de son frère, un élément d'ordre sexuel ou affectif. Lennox Boynton, lui, avait dépassé le stade de la révolte pour sombrer dans l'apathie. Je pense qu'il éprouvait les plus grandes difficultés à se concentrer. Sa façon toute personnelle de réagir à son environnement, ça a consisté à se retirer de plus en plus profondément en lui-même. Il s'agit là d'introversion au plus haut degré.

— Et sa femme ?

— Nadine Boynton était épuisée, et malheureuse, mais ne présentait aucun symptôme de conflit psychique. J'ai quelques raisons de croire qu'elle hésitait devant une décision à prendre.

— Quelle décision ?

— De quitter ou non son mari.

Le Dr Gérard fit part à Poirot et au colonel de la conversation qu'il avait eue avec Jefferson Cope. Poirot hocha la tête :

— Et la fille cadette ? Ginevra, je crois ?

— Je dirais, répondit le psychiatre d'un air grave, qu'elle se trouve dans une situation d'extrême détresse. Elle commence à montrer des signes de schizophrénie. Incapable d'assumer les difficultés de son existence, elle s'est réfugiée dans un univers imaginaire. Elle se trouve à un stade avancé de délire de persécution — à savoir qu'elle se prend pour une princesse du sang, en danger, entourée d'ennemis — le syndrome classique.

— Et c'est... dangereux ?

— Très dangereux. Ce sont les prodromes de ce qui peut dégénérer en folie homicide. Le sujet qui en est atteint tue, non pour le plaisir de tuer, mais *pour se défendre* : il — ou elle — tue pour ne pas être tué. C'est une folie qui a sa propre rationalité.

— Par conséquent, docteur, vous pensez que Ginevra Boynton pourrait avoir tué sa mère ?

— Oui. Mais je doute fort qu'elle ait eu les connaissances et la logique nécessaires pour commettre ce meurtre tel qu'il a été commis. Dans ce type de folie, les ruses sont en général cousues de fil blanc. Et j'ai la quasi-certitude qu'elle aurait choisi une action bien plus spectaculaire.

— Mais elle reste quand même un suspect possible ? insista Poirot.

— Oui, reconnut le médecin.

— Et plus tard — une fois accompli l'irréparable ? *Est-ce que vous croyez que les autres membres de la famille ont su tout de suite qui avait fait le coup ?*

— Ils l'ont su, ça, je vous en fiche mon billet ! coupa le colonel à brûle-pourpoint. Si jamais je suis tombé sur une bande de gens qui ont quelque chose à cacher, c'est bien eux ! Ils nous cachent quelque chose et pas qu'un peu.

— Eh bien, nous leur ferons dire de quoi il s'agit, trancha Poirot.

— Le troisième degré ? demanda le colonel.

— Non, fit Poirot en secouant la tête. Une bonne conversation à bâtons rompus fera l'affaire. En général, voyez-vous, les gens disent la vérité. Parce que c'est plus facile ! Parce que cela demande moins d'efforts d'imagination ! On peut mentir une fois, deux fois, trois fois, quatre à la rigueur — *mais on ne peut pas mentir tout le temps.* Ce qui revient à dire que la vérité finit toujours par pointer le bout de son nez.

— Il y a de l'idée là-dedans, convint le colonel.

Puis il ajouta tout à trac :

— Vous leur ferez la conversation, avez-vous dit ? Ce qui signifie que vous êtes prêt à vous charger de cette affaire ?

De la tête, Poirot marqua son accord :

— Seulement, soyons clairs, tint-il à préciser. Ce que vous voulez, mon colonel, et que je me suis engagé à découvrir, c'est la vérité. Mais notez bien ceci : même si nous parvenons à la vérité, il est bien possible que nous n'ayons pas de preuve. J'entends : pas de *preuve* qui soit susceptible de fonder un dossier d'inculpation. Vous comprenez ?

— Tout à fait, répliqua le colonel. Vous m'apprendrez ce qui s'est réellement passé. Et ce sera à moi de décider si, compte tenu des aspects internationaux de cette affaire, il faut mettre en branle la machine judiciaire. De toute façon, tout sera net. Je n'aime pas ce qui n'est pas net.

Cette fois, Poirot ne put retenir un sourire.

— Encore un point, continua le colonel. Vous n'avez pas beaucoup de temps. Je ne peux pas retenir tous ces gens indéfiniment.

— Gardez-les encore vingt-quatre heures, dit Poirot sans se laisser le moins du monde démonter. Vous aurez la vérité demain soir.

Le colonel le fixa :

— Vous êtes du genre sûr de soi, pas vrai ?

— Je connais mes compétences, murmura le détective.

Une attitude si assurée — tellement à l'opposé du savoir-vivre britannique — choquait le colonel. Il tortilla longuement sa moustache :

— Bon, grommela-t-il. Eh bien, à vous de vous débrouiller.

— Et si vous réussissez, très cher ami, ajouta le Dr Gérard, croyez bien que je vous saluerai bien bas !

4

Sarah King posa sur Hercule Poirot un long regard critique.

Elle nota la forme ovoïde du crâne, les gigantesques moustaches, la coquetterie maniérée de l'attitude et les cheveux trop noirs pour que leur couleur ne doive rien à l'artifice. Une étincelle d'ironie éclaira ses yeux.

— Eh bien, mademoiselle, vous êtes satisfaite ?

Sarah rougit en croisant le regard amusé du détective.

— Je vous prie de m'excuser, balbutia-t-elle maladroitement.

— De rien ! Pour reprendre une expression récemment apprise, vous m'avez fait passer la revue de détail.

— De toute façon, vous pouvez me rendre la pareille, sourit Sarah.

— Assurément. Je n'ai pas négligé de m'y autoriser, répliqua Poirot dans son anglais aussi recherché que chancelant.

Elle lui lança un regard acéré. Ce ton ! Mais Poirot, non sans complaisance, frisait du doigt ses moustaches. « Ce type est un charlatan », pensa Sarah pour la seconde fois.

Rassérénée par ce jugement sans nuances, elle se redressa dans son fauteuil et dit, un peu sèchement :

— Je n'ai pas très bien saisi l'objet de notre entretien.

— Le bon Dr Gérard ne vous l'a pas expliqué ?

Sarah fronça les sourcils :

— Je ne comprends pas le Dr Gérard. Il a l'air de penser que...

— Qu'il y a quelque chose de pourri au Royaume de Danemark, cita Poirot. Vous voyez, je connais moi aussi Shakespeare.

Du geste, Sarah indiqua le peu de cas qu'elle faisait, en l'occurrence, de l'auteur de *Hamlet*.

— A quoi riment ces histoires ? demanda-t-elle.

— Allons bon ! N'est-il pas permis de souhaiter connaître la vérité sur cette affaire ?

— Vous parlez de la mort de Mrs Boynton ?

— Oui.

— N'est-ce pas beaucoup de bruit pour rien ?

Vous, naturellement, monsieur Poirot, vous êtes un spécialiste. Et il est normal que...

Le détective acheva la phrase à sa place :

— Il est normal que je soupçonne le crime dès que l'occasion m'en est offerte ?

— Eh bien... oui, peut-être.

— Vous, personnellement, vous ne vous êtes pas posé de questions à propos de la mort de Mrs Boynton ?

— Je vous garantis, monsieur Poirot, répliqua Sarah en haussant les épaules, que si vous étiez allé à Pétra, vous vous seriez rendu compte qu'un tel voyage était une épreuve éreintante pour une femme âgée au cœur en mauvais état.

— Donc, pour vous, c'est une affaire parfaitement claire ?

— Comme de l'eau de roche. Je ne comprends pas l'attitude du Dr Gérard. Il ne sait même pas comment ça s'est passé. Il était sur le flanc, il avait de la fièvre. Il va de soi que je m'incline devant ses connaissances médicales mais, dans cette histoire, elles n'ont rien à voir. Et après tout, si on n'est pas satisfait de mes conclusions, il n'y a qu'à faire pratiquer une autopsie à Jérusalem.

Poirot demeura un instant silencieux, puis :

— Il est un fait, miss King, que vous ignorez. Le Dr Gérard ne vous en a pas parlé.

— Et de quel fait s'agit-il ?

— Une dose importante d'un médicament, de la digitoxine, a disparu de la trousse du Dr Gérard.

— Oh !

Sarah King assimila en un éclair cet élément nouveau, et, tout aussi rapidement, mit le doigt sur le point faible :

— Le Dr Gérard en est sûr ?

— Vous savez mieux que moi, mademoiselle, qu'un médecin fait en général preuve de la plus extrême prudence dans ses déclarations.

— Evidemment. Cela va sans dire. Mais, à ce

moment-là, le Dr Gérard souffrait de sa crise de paludisme.

— C'est vrai.

— Est-ce qu'il sait à quel moment cela aurait pu lui être dérobé ?

— Il a fouillé dans sa trousse le soir de votre arrivée à Pétra. Il avait une grosse migraine, et il cherchait de la phénacétine. Quand il a remis la phénacétine en place le lendemain matin et qu'il a fermé sa trousse, il est presque certain qu'on n'avait touché à rien.

— Presque...

— Eh, oui, il y a un doute, reconnut Poirot. Mais c'est le doute qu'éprouverait tout homme honnête.

— Je sais. On ne fait jamais confiance à ceux dont les certitudes sont trop bien assurées. Mais, tout de même, monsieur Poirot, c'est un élément bien ténu. Il me semble que...

Une nouvelle fois, le détective acheva la phrase :

— Il vous semble que mon enquête est inopportune ?

Sarah le regarda bien en face :

— Pour parler franchement, oui. Etes-vous convaincu, monsieur Poirot, que vous ne vous prenez pas à votre propre jeu ?

— Je vois, sourit-il. Une famille troublée, bouleversée, simplement pour que M. Hercule Poirot puisse s'amuser à jouer les détectives...

— Loin de moi l'idée de vous offenser. Mais est-ce qu'il n'y a pas un peu de cela ?

— Si je comprends bien, mademoiselle, vous vous rangez aux côtés de la famille Boynton ?

— Je crois que oui. Ils ont déjà beaucoup souffert. Ils ne doivent pas souffrir davantage.

— Tiens donc ! Et la maman Boynton, elle, elle était tellement odieuse, tyrannique et déplaisante qu'il vaut décidément bien mieux qu'elle soit morte. C'est ça l'idée, hein ?

Sarah rougit :

— Si vous présentez les choses de cette manière...

Mais je vous accorde que ce point de vue ne devrait pas être pris en considération.

— Et, cependant, on le prend en considération... Ou plutôt *vous*, vous le prenez en considération, mademoiselle. Seulement, voyez-vous, *moi pas* ! Moi, permettez-moi de vous le dire, je ne fais pas de discrimination. Que la victime soit la plus sainte des créatures du bon Dieu — ou au contraire un monstre — ça ne m'impressionne pas. Le problème est le même. On a pris... une vie ! Comme je le dis toujours, je ne saurais donner ma bénédiction à un meurtre.

— Un meurtre ! jeta Sarah. Mais de quel élément de preuve disposez-vous ? Du plus fragile des indices ! Le Dr Gérard lui-même n'est sûr de rien !...

— Mais il y a un autre indice, mademoiselle, fit observer Poirot avec douceur.

— Et lequel, je vous prie ?

— *La trace de la piqûre d'une aiguille hypodermique sur le poignet de la morte*. Et quelque chose d'autre, encore : une phrase que j'ai surprise à Jérusalem, par une belle nuit, en allant fermer ma fenêtre. Voulez-vous que je vous répète cette phrase, miss King ? Mr Raymond Boynton disait : « *Tu vois bien qu'il faut la tuer, non ?* »

Il la vit blêmir :

— *Vous avez entendu ça ?*

— Oui.

Elle fixa le mur derrière lui :

— Et il a fallu que ce soit vous qui l'ayez entendu ! souffla-t-elle.

— Oui, il a fallu que ce soit moi. Ce sont des choses qui arrivent. Vous comprenez maintenant pourquoi je juge une enquête nécessaire ?

— Oui, je pense que vous avez raison, convint-elle avec calme.

— Bon ! Et pourrai-je compter sur votre concours ?

— Bien entendu.

Le ton de la jeune femme était dépourvu de toute émotion. Elle regardait le détective sans ciller.

Poirot s'inclina :

— Je vous remercie, mademoiselle. Je vais vous demander maintenant de me dire tout ce dont vous vous remémorez de cette journée-là.

Sarah King réfléchit :

— Voyons... Le matin, nous avons fait une excursion. Aucun des Boynton ne nous accompagnait. Nous les avons tous revus au moment du déjeuner. Ils étaient en train de terminer leur repas quand nous sommes rentrés. Mrs Boynton paraissait d'une exceptionnelle bonne humeur.

— J'ai cru comprendre qu'elle se montrait en général peu amène.

— C'est le moins que l'on puisse dire, grinça Sarah.

Elle se mit en devoir de raconter comment Mrs Boynton avait libéré sa famille du soin de l'entourer.

— Ça aussi, c'était inhabituel ?

— Oui. Elle voulait toujours les garder tous autour d'elle.

— Mais ne pensez-vous pas qu'elle a pu avoir comme un remords ? Ou ce que nous appelons en français un bon mouvement ?

— Non.

— Qu'avez-vous pensé, sur le moment ?

— J'étais ébahie. J'ai soupçonné une sorte de jeu du chat et de la souris.

— Pouvez-vous préciser votre pensée ?

— Le chat aime à laisser la souris s'échapper — pour mieux la reprendre dans ses griffes. Mrs Boynton avait un tempérament de ce genre. J'ai pensé à une nouvelle diablerie de sa part.

— Que s'est-il passé ensuite, mademoiselle ?

— Les Boynton sont partis et...

— Tous ?

— Non, la cadette, Ginevra, est restée au camp. Sa mère lui avait ordonné d'aller se reposer.

— En avait-elle envie ?

— Non. Mais ce n'était pas ça qui importait. Elle a fait ce qu'on lui avait dit de faire. Donc les autres sont partis. Le Dr Gérard et moi, nous les avons rejoints.

— Vers quelle heure ?

— Environ 3 heures et demie.

— Où se trouvait alors Mrs Boynton ?

— Nadine — la jeune Mrs Boynton — l'avait installée dans un fauteuil, devant sa caverne.

— Continuez.

— Passé le premier détour du chemin, nous avons rejoint les autres, et nous avons marché tous ensemble. Au bout d'un moment, le Dr Gérard a fait demitour. Depuis la fin du déjeuner, il n'avait pas eu l'air bien. J'ai vu tout de suite qu'il avait de la fièvre. Je lui ai proposé de le raccompagner, mais il n'a pas voulu en entendre parler.

— Et cela, c'était à quelle heure ?

— Aux environs de 4 heures.

— Qu'a fait le reste du groupe ?

— Nous avons continué.

— Tous ensemble ?

— Au début oui, puis nous nous sommes séparés, se hâta de préciser Sarah, comme pour prévenir les questions de Poirot. Nadine Boynton et Mr Cope sont partis de leur côté, et Carol, Lennox, Raymond et moi, du nôtre.

— Et vous êtes restés comme ça jusqu'au bout ?

— Eh bien — non. Raymond Boynton et moi, nous nous sommes écartés. Nous nous sommes assis sur une plate-forme rocheuse et nous avons admiré l'extraordinaire paysage. Et puis il est parti et je suis restée assez longtemps sans bouger. Vers 5 heures et demie, j'ai regardé ma montre et je me suis rendu compte qu'il valait mieux que je rentre. Je suis arrivée au camp vers 6 heures. Le soleil se couchait presque.

— Vous avez remarqué Mrs Boynton en passant ?

— J'ai seulement vu qu'elle était toujours dans son fauteuil.

— Vous n'avez pas trouvé ça bizarre — qu'elle n'ait pas bougé ?

— Non, parce que je l'avais vue assise au même endroit le soir de notre arrivée.

— Je vois. Poursuivez.

— Je suis allée à la tente principale. Tous les autres étaient là, sauf le Dr Gérard. Je suis allée me laver les mains et je suis revenue. On a servi le dîner, et l'un des serviteurs est parti chercher Mrs Boynton. Il est revenu en courant pour annoncer qu'elle était malade. Je me suis précipitée. Elle était toujours assise dans son fauteuil, mais, dès que je l'ai touchée, j'ai compris qu'elle était morte.

— Vous n'avez pas douté une seconde que ce ne soit pas une mort naturelle ?

— Pas un instant. J'avais entendu dire qu'elle souffrait de troubles cardiaques — même si la nature des troubles en question n'avait pas été précisée.

— Vous avez pensé qu'elle était morte comme ça, dans son fauteuil ?

— Oui.

— Sans appeler à l'aide ?

— Oui. C'est souvent comme ça que ça se passe. Elle est peut-être même morte pendant son sommeil. Je suis persuadée qu'elle avait fait un somme. De toute façon, dans le camp, tout le monde dormait, cet après-midi-là. Personne n'aurait entendu ses appels, sauf si elle avait hurlé.

— Avez-vous la moindre idée de l'heure de sa mort ?

— Je n'y ai pas vraiment réfléchi. Quand je l'ai trouvée, elle était morte depuis un petit moment.

— Qu'appelez-vous un petit moment ?

— Euh... plus d'une heure. Mais ça peut avoir été plus long. La réverbération sur les rochers a certainement retardé l'apparition de la *rigor mortis*.

— Plus d'une heure..., médita Poirot. Savez-vous, miss King, que Raymond Boynton lui avait parlé guère plus d'une demi-heure auparavant et qu'elle était alors en bonne santé ?

Elle baissa les yeux :

— Il a dû se tromper. Ça a dû se passer plus tôt.

— Non, mademoiselle. Ça ne s'est pas passé plus tôt.

De nouveau, elle le fixait. Il nota le ferme tracé de sa bouche.

— Que voulez-vous, dit-elle, je ne suis encore qu'une débutante et je n'ai pas une grande habitude des cadavres — mais j'en sais assez pour avoir une certitude : Mrs Boynton était morte depuis *au moins* une heure quand je l'ai examinée !

— Ça, mademoiselle, jeta Poirot, c'est votre version des faits et vous vous y tiendrez ! Mais, dans ce cas, expliquez-moi *pourquoi* Mr Boynton affirme que sa mère était vivante alors qu'elle était, en fait, bel et bien morte ?

— Je n'en ai pas la moindre idée. Ils sont probablement assez imprécis en ce qui concerne les heures, tous autant qu'ils sont. On est un peu à cran, dans la famille.

— Mademoiselle, en combien d'occasions avez-vous parlé avec eux ?

Sarah réfléchit, plissant le front :

— Je peux vous le dire très précisément. J'ai parlé avec Raymond Boynton dans le corridor du wagon-lit en venant à Jérusalem. Je me suis entretenue deux fois avec Carol Boynton — une à la mosquée d'Omar, l'autre dans ma chambre, très tard dans la nuit. J'ai échangé quelques mots le lendemain matin avec Mrs Lennox Boynton. Un point, c'est tout. Enfin... jusqu'à l'après-midi de la mort de Mrs Boynton, quand nous nous sommes promenés tous ensemble.

— Et vous n'avez eu aucun entretien avec Mrs Boynton elle-même ?

— Si, rougit Sarah. Nous avons échangé quelques mots le jour où elle a quitté Jérusalem... En fait, je me suis rendue parfaitement ridicule.

— Ah bon ?

Hésitante, contrainte, elle fit un bref compte rendu de l'épisode.

Poirot manifesta un regain d'intérêt et revint à la charge :

— L'état d'esprit de Mrs Boynton — dans cette affaire, c'est très important, voyez-vous. Vous venez de l'extérieur, vous êtes un observateur objectif... C'est en cela que votre témoignage est capital.

Sarah ne répondit pas. Chaque fois qu'elle repensait à la scène, elle luttait contre l'envie de rentrer sous terre.

— Je vous remercie, mademoiselle, dit Poirot. Je vais maintenant m'entretenir avec les autres témoins.

Sarah se leva :

— Excusez-moi, monsieur Poirot, mais si je puis faire une suggestion...

— Mais bien sûr. Bien sûr.

— Pourquoi ne pas suspendre votre enquête en attendant qu'on ait pu pratiquer une autopsie et établir si vos soupçons sont justifiés. Pour le moment, je trouve que l'on a un peu mis la charrue devant les bœufs.

Le détective brassa l'air d'un geste large :

— Cela, mademoiselle, c'est la méthode d'Hercule Poirot !

Lèvres pincées, Sarah quitta les lieux.

5

Lady Westholme fit son entrée avec toute la majesté d'un paquebot défilant en grande pompe au pied de la statue de la Liberté.

Dans son sillage, miss Annabel Pierce évoquait plutôt le youyou voguant à la godille. Elle porta d'ailleurs son choix sur une chaise inconfortable et s'assit en retrait.

— Il va de soi, cher monsieur Poirot, s'exclama

lady Westholme, que je serai absolument ravie de vous assister dans toute la mesure de mes moyens. J'ai toujours professé que, dans ce genre d'affaires, il en allait du devoir civique de chacun de...

Quand lady Westholme commença de s'étendre un peu trop longuement sur le sujet du devoir civique, Hercule Poirot fut assez adroit pour parvenir à placer une question.

— Je me souviens à merveille de l'après-midi dont vous parlez, répondit aussitôt lady Westholme. Miss Pierce et moi-même ne vous ménagerons pas notre aide.

— Ah, certes, roucoula miss Pierce, aux anges. Quelle tragédie, n'est-ce pas ? Mourir... comme ça... en une fraction de seconde !

— Pourriez-vous me dire avec précision ce qui s'est passé cet après-midi-là ?

— Certainement, répliqua lady Westholme. Quand nous avons eu fini de déjeuner, j'ai décidé de faire une courte sieste. Notre excursion de la matinée s'était révélée quelque peu éprouvante. Remarquez bien que je n'étais pas vraiment fatiguée — je le suis rarement. En fait, la fatigue, je ne sais même pas ce que c'est. Dans la vie publique, bien rares sont les moments où l'on peut s'écouter, quelque envie qu'on en ait...

D'un murmure poli, Poirot la remit avec doigté sur le bon chemin.

— Comme je vous le disais, reprit lady Westholme, je me suis prononcée en faveur d'une sieste. Miss Pierce m'a approuvée.

— Oh oui, souffla miss Pierce. Moi, j'étais *atrocement* fatiguée. L'escalade de la matinée avait été si *dangereuse* — et, bien qu'intéressante, *tellement* épuisante... Je crains bien de n'être pas *tout à fait* aussi forte que lady Westholme.

— La fatigue, pontifia lady Westholme, peut être dominée comme n'importe quoi. Je mets mon point d'honneur à ne jamais céder à de basses exigences physiques.

— Après le déjeuner, parvint à glisser Poirot, vous avez donc rejoint toutes deux vos tentes respectives ?

— Oui.

— Mrs Boynton était déjà assise devant sa caverne ?

— Oui. Sa belle-fille l'avait aidée à s'installer avant de partir.

— Vous pouviez toutes les deux la voir ?

— Oh oui, intervint miss Pierce. Elle était juste en face de nous. Mais assez loin, et plus haut.

Lady Westholme jugea bon d'apporter des précisions :

— Les cavernes ouvrent sur une sorte de corniche. En dessous, il y a quelques tentes. Puis un torrent. Sur l'autre rive, il y a la grande tente commune, et quelques autres encore. C'est là que nous étions installées, miss Pierce et moi. Elle, à droite de la tente principale, et moi à gauche. Nos tentes donnaient toutes les deux sur la corniche, mais, évidemment, à quelque distance.

— Pas loin de deux cents mètres, si j'ai bien compris.

— Oui, peut-être.

— J'ai ici un plan des lieux, que j'ai établi grâce aux conseils éclairés de Mahmoud, le *drogman*.

Lady Westholme fit aussitôt remarquer qu'auquel cas ledit plan ne pouvait être que faux :

— Cet homme est l'inexactitude personnifiée. J'ai vérifié dans mon Baedeker ce qu'il nous racontait. A plusieurs reprises, les renseignements qu'il nous avait donnés étaient parfaitement erronés.

— Si j'en crois mon plan, déclara Poirot sans se laisser démonter, la caverne la plus proche de celle de Mrs Boynton était occupée par son fils Lennox et par sa belle-fille. Raymond, Carol et Ginevra Boynton étaient installés dans des tentes situées en dessous, mais plus à droite — en face, en fait, de la tente principale. La tente du Dr Gérard était à la droite de celle de Ginevra Boynton, juste à côté de celle de miss King. Et c'est de l'autre côté du ruisseau, à gauche de la principale, que se situaient la vôtre et celle de Mr Cope. Tandis que, ainsi que vous venez d'ailleurs de me le signaler, celle de miss Pierce se situait à droite. C'est bien cela ?

Lady Westholme se borna à grogner que, pour autant qu'elle le sache, c'était bien cela.

— Je vous remercie. Voilà qui est très clair. Continuez, lady Westholme, je vous prie.

Lady Westholme adressa à Poirot un sourire bienveillant :

— A 4 heures moins le quart, à peu près, j'ai fait un saut jusqu'à la tente de miss Pierce pour voir si elle avait terminé sa sieste et si elle avait envie d'une promenade. Elle lisait. Nous sommes convenues de partir une demi-heure plus tard, quand le soleil serait un peu moins chaud. Je suis donc retournée à ma tente, où j'ai lu pendant quelque vingt-cinq minutes, et puis j'ai rejoint miss Pierce. Elle était prête et nous sommes parties. Tout le monde dans le camp paraissait endormi. Il n'y avait pas une âme en vue, sauf Mrs Boynton. Quand j'ai vu Mrs Boynton assise là-haut, toute seule, j'ai suggéré à miss Pierce que nous devrions lui demander si elle n'avait besoin de rien avant de nous éloigner.

— C'est bien vrai, oui. Quelle *exquise* gentillesse de votre part, ai-je d'ailleurs tout de suite trouvé ! susurra miss Pierce.

— Moi, je n'y avais vu que mon devoir, trancha lady Westholme.

— Et tout ça pour qu'elle se montre si désagréable ! déplora miss Pierce.

Poirot leva des yeux interrogateurs.

— Notre chemin passait exactement au pied de la corniche, expliqua lady Westholme, et je l'ai appelée. Je lui ai dit que nous partions en promenade et lui ai demandé si elle n'avait besoin de rien. Et je vous donne en mille, monsieur Poirot, la réponse qu'elle m'a faite ! Elle a émis un grognement ! Un *grognement* ! Et elle nous a regardées comme si nous étions... je ne sais pas, moi — comme si nous n'étions que de la crotte !

— C'était vraiment choquant, rougit miss Pierce.

— Il me faut ajouter, confessa lady Westholme, rougissant un peu elle aussi, que je me suis alors laissée aller à une réflexion qui manquait de charité.

— Je pense que vous aviez parfaitement raison, décida miss Pierce. *Parfaitement* raison... vu les circonstances.

— Et quelle était cette réflexion ? s'enquit Poirot.

— J'ai dit à miss Pierce que cette femme *buvait* peut-être. Réellement, son comportement sortait *par trop* du commun. Et ce, depuis le début. Je voulais croire que c'était peut-être à mettre sur le compte de l'alcool. Comme vous le savez sans doute, les ravages de l'alcool...

Mais Poirot n'avait pas l'intention de subir un exposé sur les méfaits des spiritueux :

— Est-ce que son comportement avait été plus étonnant ce jour-là en particulier ? Au déjeuner, par exemple ?

— N-non, fit lady Westholme, songeuse. J'inclinerais à penser qu'il avait été plutôt normal — enfin, pour une Américaine de son genre, bien entendu, ajouta-t-elle d'un ton condescendant.

— Elle a été odieuse avec l'un des serviteurs, précisa miss Pierce.

— Lequel ?

— Pas bien longtemps avant que nous ne partions.

— Ah oui, je m'en souviens, elle avait vraiment l'air furieuse contre lui ! reprit lady Westholme. Evidemment, avoir affaire à des serviteurs qui ne connaissent pas un traître mot d'anglais, c'est la croix et la bannière — mais ce que je dis toujours, c'est qu'en voyage, il faut savoir passer sur ces petits inconvénients.

— De quel serviteur s'agissait-il ? demanda Poirot.

— L'un des Bédouins du camp. Il est monté

jusqu'à elle — je suppose qu'elle lui avait demandé de lui apporter quelque chose et qu'il s'était trompé... Je ne sais ce que cela pouvait être, mais ce qu'il y a de sûr, c'est qu'elle était en rage. Le pauvre homme a pris la fuite à toutes jambes, mais elle a quand même trouvé le moyen de le menacer de sa canne et de lui hurler des insultes.

— Quel genre d'insultes ?

— Nous étions trop loin pour entendre. Moi, en tout cas. Et vous, miss Pierce ?

— Je n'ai pas entendu non plus. J'ai cru comprendre qu'elle l'avait envoyé chercher je ne sais quoi dans la tente de sa fille. Ou peut-être qu'elle lui reprochait au contraire d'être entré dans cette tente. Je ne saurais vous dire au juste.

— A quoi ressemblait-il ?

Miss Pierce, à qui la question s'adressait, secoua la tête :

— Vraiment, je serais bien en peine de vous le décrire. Il était bien trop loin. Et puis, pour moi, tous ces Arabes se ressemblent.

— C'était un homme plus grand que la moyenne, la corrigea lady Westholme. Il était coiffé du keffieh traditionnel et portait la paire de pantalons la plus sale et la plus rapiécée qu'il soit permis — vraiment une horreur ! — et ses guêtres étaient lacées n'importe comment ! Le tout à l'avenant ! Ce qui manque à ces gens, c'est d'être menés à la baguette !

— Vous pourriez le retrouver parmi les serviteurs ?

— J'en doute. Nous n'avons pas pu distinguer ses traits, à cause de la distance. Et puis, comme miss Pierce vient de le dire, tous ces Arabes se ressemblent.

— Je me demande, murmura pensivement Poirot, ce qu'il avait bien pu faire pour mettre Mrs Boynton dans une telle colère...

— Ces gens-là vous poussent souvent à bout. Tenez, il y en a un qui a emporté mes chaussures alors que je lui avais expressément dit — et montré par gestes — que je préférais les cirer moi-même.

— C'est ce que je fais toujours, moi aussi, déclara Poirot, perdant soudain de vue son enquête. J'emporte mon petit nécessaire à chaussures partout avec moi. Sans oublier ma peau de chamois.

— Je fais comme vous ! s'esbaudit lady Westholme qui en parut presque humaine.

— Parce que tous ces Arabes ne prennent jamais la peine d'enlever la poussière de vos affaires...

— Jamais ! Dieu sait pourtant, il faut les brosser trois ou quatre fois par jour...

— Mais cela en vaut la peine.

— Ça, je suis bien d'accord ! Je suis *allergique* à la crasse.

Lady Westholme semblait animée d'un militantisme tout spécialement virulent. La narine frémissante, elle se lança dans la brèche offerte :

— C'est comme ces mouches... dans les bazars... c'est effroyable ! Ce qu'il faudrait, c'est...

Poirot eut l'air d'un écolier pris en faute :

— Bon, bon... Nous finirons bien par apprendre de la bouche de cet homme ce qui avait irrité à ce point Mrs Boynton. Pour en revenir à votre récit, lady Westholme ?...

— Nous sommes parties à petits pas et nous n'avons pas tardé à croiser le Dr Gérard. Il était parcouru de frissons et paraissait assez mal en point. J'ai vu tout de suite qu'il avait de la fièvre.

— Il tremblait, renchérit miss Pierce. De la tête aux pieds.

— J'ai compris instantanément qu'il couvait un accès de paludisme. Je lui ai proposé de rentrer au camp avec lui et de lui donner de la quinine, mais il m'a répondu qu'il avait tout ce qui lui fallait dans sa tente.

— Le malheureux ! renifla miss Pierce. Je suis toujours toute retournée quand je vois un médecin malade. Je trouve que ça a quelque chose de choquant, pas vous ?

— Bref, nous sommes reparties. Et nous sommes allées nous asseoir sur un rocher.

— Il faut dire que... la fatigue de la matinée... cette ascension..., commenta miss Pierce.

— Je ne suis jamais fatiguée, trancha lady Westholme, péremptoire. Mais à quoi bon aller plus loin ? Nous avions une vue superbe à des kilomètres à la ronde.

— Vous étiez hors de vue du camp ?

— Non, nous l'avions en face de nous.

— C'était si romantique, souffla miss Pierce. Ce camp, dressé au cœur de la solitude immense des rochers couleur de rubis...

— Le camp devrait être mené de manière bien plus rigoureuse, décida lady Westholme. J'en toucherai un mot à ces messieurs de chez Castle. Je ne suis pas du tout persuadée que l'eau potable soit bouillie et filtrée. Elle devrait l'être. Je le leur dirai.

Poirot toussota pour éviter que la conversation ne sombre dans l'eau potable :

— Avez-vous vu d'autres membres du groupe ?

— Oui. Mr Boynton et sa femme sont passés devant nous sur le chemin du retour.

— Ils étaient ensemble ?

— Non. Mr Boynton est passé le premier. On aurait dit qu'il avait un début d'insolation. Il marchait d'un pas mal assuré.

— C'est la nuque, confia miss Pierce. Il *faut* se protéger la nuque ! Moi, je porte toujours un bon foulard de soie.

— Qu'a fait Mr Lennox Boynton à son retour au camp ? demanda Poirot.

Pour une fois, miss Pierce parvint à placer sa réponse avant lady Westholme :

— Il est allé droit à sa mère, mais il n'est pas resté longtemps avec elle.

— Combien de temps ?

— Une minute ou deux.

— Moi, je dirais à peine une minute, précisa lady

Westholme. Et puis il est entré dans sa caverne, après quoi il est descendu à la tente principale.

— Et sa femme ?

— Elle est rentrée un quart d'heure plus tard. Elle s'est arrêtée un instant pour nous adresser la parole. Tout à fait courtoisement.

— Je la trouve charmante, chuchota miss Pierce. Vraiment charmante.

— Elle n'est pas aussi impossible que le reste de la famille, concéda lady Westholme.

— Vous l'avez vue regagner le camp ?

— Oui. Elle est allée dire un mot à sa belle-mère. Puis elle est entrée dans sa caverne, elle en a sorti un fauteuil et elle est restée à bavarder avec Mrs Boynton — pendant une dizaine de minutes, à quelque chose près.

— Et puis ?

— Elle a remporté son fauteuil et elle est descendue à la tente principale où son mari se trouvait déjà.

— Et puis après ?

— Cet Américain si original est arrivé. Je crois qu'il s'appelle Cope. Il nous a dit que, juste un peu plus loin, il y avait un très bel exemple d'architecture nabatéenne de la période de la décadence, et qu'il ne fallait pas la manquer. Nous avons suivi son conseil et nous y sommes allées. Mr Cope avait sur lui un article assez intéressant sur Pétra et les Nabatéens.

— *Très* intéressant, renchérit miss Pierce.

— Nous sommes rentrées au camp vers 6 heures moins 20, continua lady Westholme. Il commençait de faire frisquet.

— Mrs Boynton était toujours assise au même endroit ?

— Oui.

— Vous lui avez adressé la parole ?

— Non. Pour dire vrai, je l'ai à peine remarquée.

— Et qu'avez-vous fait ensuite ?

— Je suis retournée à ma tente, j'ai changé de chaussures et j'ai pris mon paquet de thé de Chine. Puis je suis allée dans la tente commune. Le *drog-*

man était là. Je lui ai intimé l'ordre de préparer du thé pour miss Pierce et pour moi avec le thé que j'avais apporté, et de s'assurer que l'eau aurait bien bouilli. Il m'a répondu que le dîner serait prêt dans une demi-heure — les boys étaient en train de mettre le couvert —, mais j'ai répliqué que cela ne changeait rien à rien.

— Moi, je dis toujours qu'une bonne tasse de thé, ça change *tout*, confia non sans à-propos miss Pierce à la cantonade.

— Il y avait d'autres personnes dans la tente principale ?

— Oh oui. Mr et Mrs Lennox Boynton lisaient dans un coin. Et Carol Boynton était là, elle aussi.

— Et Mr Cope ?

— Il s'est joint à nous pour le thé, dit miss Pierce. Tout en faisant remarquer que ce n'était pas une coutume américaine.

— J'avoue avoir un instant redouté, toussota lady Westholme, que Mr Cope ne devienne quelque peu importun — qu'il ne me lâche plus. Quand on voyage, ce n'est pas toujours facile de tenir les gens à distance. Ils ont souvent tendance à prendre des libertés. Les Américains, en particulier, peuvent se montrer un tantinet... pesants.

— Je suis convaincu, lady Westholme, que vous êtes tout à fait à même de faire face à ce genre de situations, murmura Poirot, suave. Quand vos compagnons de voyage ne vous sont plus d'aucune utilité, je suis sûr que vous savez comment vous en débarrasser.

— Je pense en effet, répondit lady Westholme sans prêter attention à la petite lueur d'ironie qui s'était allumée dans le regard de Poirot, que je suis capable d'assumer sans faiblir la plupart des situations de l'existence.

— Voulez-vous conclure votre récit des événements de cette journée ?

— Certainement. Pour autant qu'il m'en souvienne, Raymond Boynton et la petite rouquine sont arrivés peu après. Miss King a été la dernière. Le dîner était prêt à être servi. Le *drogman* a envoyé un des serviteurs chercher Mrs Boynton. L'homme est revenu peu après, très agité, avec l'un de ses camarades, et ils ont parlé en arabe avec le *drogman*. Il semblait que Mrs Boynton était malade. Miss King a proposé ses services, et elle est partie avec le *drogman*. Quand elle est revenue, elle a annoncé la nouvelle à la famille Boynton.

— Elle n'a guère pris de gants, fit observer miss Pierce. Elle a lâché ça, comme ça, sans préavis. Je me souviens de m'être dit qu'elle aurait pu y mettre plus de formes.

— Et comment la famille Boynton a-t-elle réagi ? demanda Poirot.

Pour une fois, lady Westholme et miss Pierce semblèrent à quia. Puis la première finit par dire, d'un ton qui avait perdu de son assurance :

— Euh... je vous avoue que... c'est difficile à dire. Ils m'ont paru... ils m'ont paru prendre la chose avec calme.

— Ils étaient abasourdis, proposa miss Pierce.

— Ils sont tous partis avec miss King, poursuivit lady Westholme. Miss Pierce et moi-même avons eu le bon goût de rester où nous nous trouvions.

Un soupçon de regret voila le regard de miss Pierce.

— J'ai horreur de la curiosité malsaine ! assena lady Westholme.

Le soupçon de regret se fit regret tout court. Il était clair que miss Pierce avait dû faire effort sur elle-même pour avoir, elle aussi, horreur de la curiosité malsaine !

— Plus tard, conclut lady Westholme, miss King et le *drogman* sont revenus. J'ai proposé que le dîner soit servi immédiatement pour nous quatre, afin que la famille Boynton puisse prendre son repas sans avoir à subir la présence d'étrangers. Ma suggestion a été retenue et, immédiatement après le dîner, je me suis retirée sous ma tente. Miss Pierce et miss King ont fait de même. Mr Cope, me semble-t-il, est resté dans la tente commune. En tant qu'ami de la famille, sans doute pensait-il pouvoir leur apporter un peu de réconfort. Voilà tout ce que je sais, monsieur Poirot.

— Après que miss King leur eut annoncé la nouvelle, *tous* les Boynton l'ont-ils accompagnée ?

— Oui... non, maintenant que vous m'y faites penser, je crois que la rouquine n'a pas bougé. Peut-être vous en souvenez-vous, miss Pierce ?

— Oui, je crois bien... Je veux dire que je suis sûre qu'elle est restée là.

— Restée là... à quoi faire ? interrogea Poirot.

Lady Westholme ne cacha pas son étonnement :

— Restée à *quoi faire*, monsieur Poirot ? Elle ne faisait rien, si je ne m'abuse.

— Je veux dire : est-ce qu'elle cousait ? est-ce qu'elle lisait ? est-ce qu'elle avait l'air inquiète ? est-ce qu'elle a dit quoi que ce soit ?

— Elle se tordait les doigts, s'émut miss Pierce. Je me rappelle l'avoir remarqué — la pauvre petite, me suis-je dit, ça montrait bien son désarroi. Non qu'on ait pu lire quoi que ce soit sur son visage, vous savez — mais il y avait ses mains qu'elle tordait à n'en plus finir.

» Un beau jour, poursuivit-elle sur le ton de la confidence, j'ai comme ça déchiré un billet d'une livre — sans savoir ce que je faisais. « Est-ce que je prends le premier train ? » me demandais-je (une de mes grand-tantes venait de tomber malade). « Ou est-ce que je ne le prends pas ? » Je n'arrivais pas à me décider et puis, d'un seul coup, j'ai baissé les yeux et j'ai vu qu'au lieu du télégramme, c'était un billet d'une livre — *un billet d'une livre !* — que j'étais en train de réduire en charpie !

Miss Pierce se tut, savourant son effet dramatique.

Point trop satisfaite de voir ainsi briller son satellite, lady Westholme intervint d'un ton glacial :

— Voyez-vous autre chose, monsieur Poirot ?

Le détective sursauta et parut s'arracher à un rêve :

— Non, rien... rien du tout. Vous avez été très claire... très précise.

— Je me flatte de posséder une excellente mémoire.

— Une dernière petite exigence cependant, lady Westholme. Restez assise comme vous l'êtes — sans regarder nulle part. Et maintenant, voudriez-vous avoir la gentillesse de me décrire les vêtements que miss Pierce porte aujourd'hui ? Si toutefois miss Pierce n'y voit pas d'inconvénient, bien entendu !

— Mais pas du tout ! mais pas du tout ! pépia miss Pierce.

— Vraiment, monsieur Poirot, si vous croyez *indispensable* que...

— Ayez l'amabilité de faire ce que je vous demande, madame.

Lady Westholme haussa les épaules et détailla, avec une mauvaise grâce visible :

— Miss Pierce porte un ensemble de coton rayé marron et blanc, et une ceinture soudanaise en cuir rouge, bleu et beige. Elle porte aussi des bas de soie beige, et des chaussures vernies marron à brides. Une maille de son bas gauche a filé. Elle a autour du cou un collier de cornaline et un rang de perles bleu roi — et elle porte en broche un papillon de perles. Au majeur de la main droite, elle a une imitation de scarabée égyptien. Et puis elle est coiffée d'une sorte de casque colonial bizarrement rose et marron.

Elle marqua une pause — comme pour mieux faire valoir ses talents. Puis elle demanda, une nouvelle fois très froide :

— Voyez-vous autre chose ?

Poirot leva les bras au ciel :

— Madame, vous avez droit à toute mon admiration. Votre don d'observation est de tout premier ordre.

— Il est rare que des détails m'échappent.

Lady Westholme se leva, inclina imperceptiblement la tête et sortit, grandiose. Comme miss Pierce s'apprêtait à la suivre, le regard tristement baissé en direction de sa jambe gauche, Poirot la retint :

— Encore un petit instant, mademoiselle.

— Oui ? souffla miss Pierce, le cœur battant la chamade.

Poirot se pencha, comme pour une confidence :

— Est-ce que vous voyez ce bouquet, là, sur la table ?

— Oui, fit miss Pierce, l'œil exorbité.

— Et est-ce que vous avez remarqué que, quand vous êtes entrée ici, j'ai éternué une ou deux fois ?

— Vous avez... ah bon ?

— Et enfin, est-ce que vous avez remarqué aussi que je venais juste de respirer ces fleurs ?

— Eh bien... pas vraiment... non... je ne saurais dire.

— Mais pour ce qui est de mes éternuements, vous les avez remarqués ?

— Ah, ça, oui, je m'en souviens très bien.

— Bah ! au fond — aucune importance. Voyez-vous, je me demandais si ces fleurs pouvaient donner le rhume des foins. Mais ça n'a aucune espèce d'importance.

— Le rhume des foins ! s'étrangla miss Pierce. Je me rappelle qu'une de mes cousines en était atteinte et qu'elle souffrait *le martyre* ! Elle disait toujours qu'en se pulvérisant le nez avec une solution d'acide borique...

Non sans peine, Poirot parvint à mettre fin aux explications sur les prescriptions de la cousine et à se débarrasser de miss Pierce. Il ferma la porte et revint au centre de la pièce, les sourcils froncés :

— Mais je n'ai pas éternué, se dit-il à voix basse. Autant pour elle. Non, je n'ai pas éternué.

6

Lennox Boynton entra d'un pas rapide, résolu. S'il avait été présent, le Dr Gérard aurait été surpris de la transformation du jeune homme. Son apathie avait disparu. On le sentait alerte — même si sa nervosité semblait évidente : ses yeux erraient d'un point à l'autre de la pièce, sans pouvoir se fixer.

Poirot se leva et s'inclina, non sans solennité :

— Bonjour, Mr Boynton. Je dois vous remercier d'avoir accepté de répondre positivement à mon souhait de vous rencontrer en tête-à-tête.

— Euh..., bégaya Lennox. Le colonel Carbury m'a dit que ça vaudrait mieux... il m'a conseillé de venir... pour des formalités, d'après ce que j'ai cru comprendre.

— Asseyez-vous, je vous en prie, Mr Boynton.

Lennox prit place dans le fauteuil laissé vacant par lady Westholme. Poirot continua, sur le ton de la conversation :

— Je crains bien que tous ces événements ne vous aient causé un grand choc, non ?

— Si, bien sûr. Mais peut-être pas, au fond... Nous avons toujours su que ma mère n'avait pas le cœur très solide.

— Dans ces conditions, était-il bien raisonnable de lui permettre d'entreprendre une expédition aussi éprouvante, aussi pleine de risques ?

Lennox releva la tête. Il s'exprima sur un ton de dignité navrée :

— Ma mère, Mr... euh... Poirot, n'en faisait qu'à sa tête. Et quand elle avait pris une décision, il valait mieux pour nous que nous ne nous y opposions pas.

Il avait prononcé cette dernière phrase sur un rythme haletant. Et il avait blêmi.

— Je ne sais que trop, concéda Poirot, que les dames âgées sont parfois un peu entêtées.

Lennox le coupa, agacé :

— Quel est le but de tout ceci ? Voilà ce que je

voudrais bien savoir. Et pourquoi brusquement tout un tas de formalités auxquelles il faut se plier ?

— Peut-être ignorez-vous, Mr Boynton, que dans tout cas de mort soudaine et inexpliquée, se plier à un grand nombre de formalités est, en effet, un mal nécessaire.

Lennox se rebiffa :

— Qu'entendez-vous au juste par *inexpliquée* ?

Poirot haussa les épaules :

— En cas de décès, la question se pose toujours : est-ce une mort naturelle... ou est-ce qu'il ne pourrait pas éventuellement s'agir d'un suicide ?

— Un suicide ? fit Lennox, stupéfait.

— C'est vous, bien entendu, qui êtes le mieux placé pour répondre à cette question, glissa le détective, l'air de ne pas y toucher. Et vous conviendrez avec moi que le colonel Carbury puisse être dans le doute. Or, c'est à lui qu'il revient de décider s'il faut ouvrir une enquête, exiger une autopsie et ainsi de suite. Il se trouve que j'étais sur place et que je possède une grande expérience de ce genre de problèmes. Il m'a donc demandé de recueillir quelques informations complémentaires susceptibles de l'éclairer plus à fond. Il va de soi que, dans la mesure où il pourra l'éviter, il n'a pas la moindre intention de vous compliquer l'existence.

— Je veux télégraphier à notre consul à Jérusalem, gronda Lennox.

— C'est votre droit le plus strict, répliqua Poirot sans se compromettre.

Il y eut un silence. Puis Poirot balaya l'air des deux mains :

— Si vous ne souhaitez pas répondre à mes questions...

— Non, non, ce n'est pas du tout ça, s'empressa de répondre Lennox. Seulement tout ça me paraît tellement... tellement inutile.

— Je comprends. Je comprends très bien. Mais au fond il n'y a rien là de bien compliqué. C'est une question de routine, comme on dit. Maintenant,

Mr Boynton, l'après-midi de la mort de votre mère, je crois savoir que vous avez quitté le camp de Pétra pour partir en promenade ?

— Oui. Nous y sommes tous allés — à l'exception de ma mère et de ma plus jeune sœur.

— Votre mère s'était installée à l'entrée de sa caverne ?

— Oui. Juste devant. Elle s'y asseyait tous les après-midi.

— Parfait. Vous êtes donc parti... à quelle heure ?

— Peu après 3 heures, à vue de nez.

— Et vous êtes rentré de promenade... à quelle heure ?

— Je serais bien incapable de vous le préciser. 4 heures... 5 heures, peut-être.

— Une heure ou deux après votre départ ?

— Oui, quelque chose comme ça.

— Avez-vous rencontré qui que ce soit sur le chemin du retour ?

— Fait quoi ?

— Rencontré quelqu'un. Aperçu deux dames assises sur un rocher, par exemple.

— Je ne sais pas. Oui, je pense que oui.

— Peut-être étiez-vous trop absorbé dans vos pensées pour les remarquer ?

— Oui, c'est exact.

— Quand vous êtes rentré au camp, vous êtes allé parler à votre mère ?

— Oui... oui, c'est ce que j'ai fait.

— Elle ne s'est pas plainte d'un quelconque malaise ?

— Non... non, elle m'a semblé parfaitement bien.

— Puis-je vous demander très exactement ce qui s'est passé entre vous ?

Lennox resta silencieux un moment.

— Elle a commencé par me dire que j'étais revenu tôt, articula-t-il enfin. J'ai convenu que c'était en effet le cas.

Il s'interrompit, le temps d'un nouvel effort de concentration, puis :

— Je lui ai dit qu'il faisait chaud. Elle... elle m'a demandé l'heure — elle m'a expliqué que sa montre-bracelet s'était arrêtée. Je l'ai prise, je l'ai remontée, je l'ai remise à l'heure et je la lui ai remise au poignet.

— Et quelle heure était-il ? coupa doucement Poirot.

— Hein ?

— Quelle heure était-il quand vous avez réglé les aiguilles de cette montre ?

— Ah, je vois. Il était 5 heures moins 25.

— Alors, vous savez précisément à quelle heure vous êtes revenu au camp, remarqua Poirot avec gentillesse.

Lennox rougit :

— Oui, que je suis bête ! J'ai bien peur, monsieur Poirot, d'avoir le cerveau en capilotade. Tous ces soucis...

Poirot fit aussitôt montre de compassion :

— Oh, je comprends ça — je comprends ça très bien ! On serait bouleversé à moins ! Et que s'est-il passé ensuite ?

— J'ai demandé à ma mère si elle désirait quelque chose. Une boisson — du thé, du café, je ne sais pas. Elle a dit que non. Alors je suis descendu à la tente principale. Il n'y avait pas le moindre serviteur dans les parages, mais j'ai trouvé du soda et je l'ai bu. J'avais soif. Je me suis assis et j'ai lu de vieux numéros du *Saturday Evening Post*. Et je pense que j'ai vaguement somnolé.

— Votre femme est venue vous rejoindre sous la tente principale ?

— Oui, elle était rentrée peu de temps après moi.

— Et vous n'avez plus revu votre mère vivante ?

— Non.

— Quand vous aviez parlé avec elle, elle ne vous avait pas semblé agitée, ou inquiète ?

— Non, elle était comme d'habitude.

— N'a-t-elle pas fait allusion à un problème ou à une altercation avec l'un des serviteurs ?

La question parut surprendre Lennox :

— Non. Pas du tout.

— Et c'est tout ce que vous pouvez me dire ?

— Je... hélas, oui.

— Merci, Mr Boynton.

Poirot inclina la tête pour signifier que l'entretien avait pris fin, mais Lennox ne paraissait pas décidé à s'en aller. Hésitant, il restait sur le seuil :

— Euh... ce sera tout ?

— Oui. Oh... peut-être auriez-vous l'amabilité de demander à votre femme de venir ici ?

Lennox sortit avec lenteur. Sur son bloc-notes, Hercule Poirot inscrivit : *L.B. 16 h 35.*

7

Poirot examina avec attention la grande jeune femme infiniment digne qui arrivait. Il se leva et s'inclina, la courtoisie faite homme :

— Mrs Lennox Boynton ? Hercule Poirot, pour vous servir.

Nadine Boynton s'assit. Ses yeux pensifs ne quittaient pas ceux du détective.

— J'espère, madame, que vous ne m'en voudrez pas de troubler ainsi votre chagrin.

Le regard de Nadine ne vacilla pas. Elle ne répliqua pas non plus tout de suite. Ses yeux demeurèrent calmes et graves. Enfin elle soupira :

— Je pense qu'il vaut mieux pour tout le monde que je sois franche avec vous, monsieur Poirot.

— J'en conviens, madame.

— Vous avez cru bon de vous excuser de troubler mon chagrin. Or je n'éprouve pas de chagrin, monsieur Poirot, et il serait vain de ma part d'essayer de feindre. Je n'avais aucune affection pour ma belle-mère et, en toute honnêteté, je n'irai pas jusqu'à prétendre que je déplore sa mort.

— Madame, je vous sais gré de votre franchise.

— Mais si je ne veux pas affecter un chagrin imaginaire, reprit Nadine, je dois admettre que je ressens un autre sentiment... Du remords.

— Du remords ?

Les sourcils de Poirot avaient pris de l'altitude.

— Oui, du remords. Parce que, voyez-vous, c'est *moi* qui ai provoqué l'issue fatale. Et cela, je me le reproche amèrement.

— Mais, enfin, que me dites-vous là, madame ?

— Je vous dit tout bonnement que c'est moi qui ai causé la mort de ma belle-mère. J'ai agi, je crois pouvoir le dire, en toute innocence... Mais l'effet a été fatal. Tout bien pesé, je l'ai tuée.

Poirot se renversa dans son fauteuil :

— Me feriez-vous, madame, la grâce de préciser le sens de cette déclaration ?

Nadine baissa la tête :

— Oui, je ne souhaite que ça. Ma première intention, cela va de soi, avait été de garder pour moi mes problèmes personnels, mais je vois bien que le moment est venu où il vaut mieux parler franc. Je suis convaincue, monsieur Poirot, qu'il vous est souvent arrivé de recevoir des confidences de nature très intime.

— Oh, que oui !

— Alors je vais vous dire très simplement ce qui s'est passé. Ma vie conjugale, monsieur Poirot, n'a pas été très heureuse. Mon mari n'est pas le seul à blâmer — sa mère a exercé sur lui une influence détestable. Mais, enfin, depuis un certain temps, je trouvais mon existence de moins en moins supportable.

Elle marqua un temps, puis reprit :

— L'après-midi de la mort de ma belle-mère, j'étais enfin parvenue à prendre une décision. J'ai un ami — un ami fidèle. Il m'avait proposé plus d'une fois de partager sa vie. Cet après-midi-là, j'ai accepté sa proposition.

— Vous avez décidé de quitter votre mari ?

— Oui.

— Poursuivez, madame.

Nadine baissa la voix :

— Sitôt ma décision prise, j'ai résolu de... de tout régler aussi rapidement que possible. Je suis revenue au camp toute seule. Ma belle-mère était assise dans son coin, il n'y avait personne, et j'ai choisi de la mettre au courant immédiatement. J'ai pris un fauteuil, je me suis installée à côté d'elle — et je lui ai fait part de but en blanc de ma décision.

— Elle s'en est montrée surprise ?

— Oui, je crains bien que ce n'ait été pour elle un grand choc. Elle s'est montrée à la fois étonnée et furieuse — folle furieuse. Vous... vous ne pouvez imaginer l'état dans lequel elle s'est mise ! J'ai fini par refuser de poursuivre la conversation. Je me suis levée et je suis partie.

Sa voix dérapa :

— Je... je ne l'ai pas revue vivante.

Poirot hocha lentement la tête :

— Je vois... Et vous pensez donc que la mort de votre belle-mère n'est que la conséquence du choc que vous lui avez infligé.

— J'en suis presque sûre. Vous comprenez, le seul fait d'arriver jusqu'à Pétra l'avait déjà passablement épuisée. Ce que je lui annonçais, plus sa fureur, ont fait le reste... Et je me sens d'autant plus coupable que, par ma formation, la maladie ne m'est pas complètement étrangère et que j'aurais dû, plus que quiconque, prévoir ce qui s'est produit.

Poirot s'absorba dans une courte méditation.

— Quand vous l'avez quittée, demanda-t-il enfin, qu'avez-vous fait exactement ?

— J'ai rapporté mon fauteuil dans ma caverne, et je suis descendue à la grande tente. Mon mari y était déjà.

L'œil aux aguets, Poirot reprit :

143

— Est-ce à ce moment-là que vous *lui* avez fait part de votre décision ? Ou bien lui en aviez-vous déjà parlé ?

Nadine Boynton n'hésita qu'une fraction de seconde avant de répondre :

— Non. Je le lui ai dit à ce moment-là.

— Comment l'a-t-il pris ?

— Il s'est montré bouleversé, répliqua-t-elle sans s'émouvoir.

Vous a-t-il suppliée de reconsidérer vos projets ?

— Il... il n'a pas dit grand-chose. Voyez-vous, nous savions tous deux depuis un certain temps que ce genre d'échéance risquait d'arriver.

— Pardonnez, je vous prie, mon indiscrétion mais... mais le fidèle ami en question, c'est, bien sûr, Mr Jefferson Cope ?

Elle courba le front :

— Oui.

Il y eut un long silence, puis, sans changer de ton, Poirot demanda :

— Possédez-vous une seringue hypodermique, madame ?

— Oui... enfin, non.

Les sourcils de Poirot se firent inquisiteurs.

Nadine s'expliqua :

— J'ai une vieille seringue dans ma pharmacie de voyage. Mais elle se trouve dans nos malles qui sont restées à Jérusalem.

— Je vois.

Il y eut un nouveau silence. Puis elle s'enquit, mal à l'aise :

— Pourquoi me posez-vous cette question, monsieur Poirot ?

Il ne répondit pas à sa question et préféra biaiser :

— Si j'ai bien compris, Mrs Boynton prenait une préparation contenant de la digitaline ?

— Oui.

Il était clair, à présent, que tous les sens de Nadine Boynton étaient en alerte.

— C'était pour son cœur ? insista Poirot.

— Oui.

— La digitaline est bien, dans une certaine mesure, un poison à effet cumulatif ?

— Je crois, oui. Mais je n'en sais pas long sur la question.

— Si Mrs Boynton avait absorbé une dose excessive de digitaline...

Elle l'interrompit bien vite :

— Ce n'est pas le cas. Elle faisait toujours extrêmement attention à ses gouttes. Tout comme moi quand il m'arrivait de les lui verser.

— Il peut y avoir eu surdosage dans ce flacon-là. Il peut y avoir eu une erreur de la part du pharmacien qui l'a préparé.

— Cela me paraît tout à fait improbable, décréta-t-elle de son ton le plus tranquille.

— Bah ! L'analyse nous le dira bientôt.

— Malheureusement, le refroidit Nadine, ce flacon a été cassé.

Le regard de Poirot flamboya :

— Tiens donc ! Et qui l'a cassé ?

— Je ne sais pas. Un des serviteurs, j'imagine. Quand on a transporté le cadavre de ma belle-mère dans sa caverne, il régnait la plus grande confusion et l'éclairage était faible. Une table a été renversée.

Poirot la fixa de tous ses yeux pendant un bon moment.

— Voilà qui est bien intéressant, grommela-t-il enfin.

Nadine Boynton, mal à l'aise, s'agita dans son fauteuil :

— Vous insinuez, si je comprends bien, que ma belle-mère n'a pas succombé à un choc émotionnel, mais à une absorption excessive de digitaline ?... Pour moi, c'est peu plausible.

Poirot se pencha en avant :

— Peu plausible ?... *Même si je vous dis qu'il manquait une dose importante de digitoxine dans la trousse du Dr Gérard, le médecin français qui se trouvait avec vous dans le camp ?*

Le visage de Nadine Boynton vira au blanc crayeux. Poirot la vit se cramponner à la table. Ses paupières s'abaissèrent. Elle demeura figée, immobile. On eût dit une madone de pierre.

— Eh bien, madame, qu'avez-vous à répondre à cela ?

Les secondes s'écoulaient. Elle ne répondait pas. Quand elle releva enfin la tête, le détective s'étonna de ce qu'il lisait dans ses yeux.

— Monsieur Poirot, *je n'ai pas tué ma belle-mère.* Et ça, vous le savez. Quand je l'ai quittée, elle était en bonne santé. Bien des gens peuvent en témoigner ! C'est pourquoi, innocente de ce crime, j'ose faire appel à vous. Faut-il vraiment que vous vous mêliez de cette affaire ? Si je vous jurais, sur mon honneur, que justice — et justice seulement — a été faite, ne pourriez-vous pas abandonner votre enquête ? Il y a déjà eu tant de souffrances — des souffrances que vous ne pouvez imaginer. Et maintenant que règne enfin un semblant de paix et que le bonheur devient possible, faut-il que vous détruisiez tout cela ?

Poirot se redressa sur son siège, très raide. Dans son regard fulguraient des éclairs :

— Eclairez-moi, madame. Que voulez-vous de moi, au juste ?

— Je vous déclare seulement que ma belle-mère est morte de mort naturelle, et je vous demande d'accepter cela comme une conclusion définitive.

— Allons droit au fait. *Vous êtes persuadée que votre belle-mère a été froidement assassinée*, et vous me demandez de trouver des justifications à un *meurtre* !

— Je ne vous demande qu'un peu de pitié !

— De la pitié... à l'égard de quelqu'un qui n'en a pas eu !

— Vous ne comprenez pas — ça ne s'est pas passé comme ça.

— Faut-il que ce soit vous qui ayez commis ce crime, madame, pour en savoir si long ?

Nadine secoua la tête. Elle ne montrait aucun signe de culpabilité.

— Non, dit-elle avec calme. Elle était vivante quand je l'ai quittée.

— Et alors — qu'est-ce qui s'est passé ? Vous *savez* — ou vous *soupçonnez* ?

Elle se mit à parler avec passion :

— J'ai entendu dire qu'une fois, monsieur Poirot, dans l'affaire de l'Orient-Express, vous aviez cautionné une version officielle des faits.

Le détective ne cacha pas sa curiosité :

— Je me demande bien qui vous a raconté cela.

— Est-ce exact ?

— C'était un cas... un cas bien différent, répondit-il lentement.

— Non. Non, ce n'était pas différent ! L'homme qui avait été tué était un monstre, un démon...

Sa voix se brisa :

— Tout comme *elle* était un démon...

Poirot secoua la tête :

— Les qualités morales de la victime ne changent rien à l'affaire ! Un être humain qui a cru pouvoir exercer sa propre justice et prendre la vie d'un autre être humain n'a plus sa place dans la communauté des hommes ! Ça, c'est *moi* qui vous le dis ! Moi, Hercule Poirot !

— Comment peut-on être à ce point impitoyable ?

— Il est des sujets, madame, sur lesquels je ne puis transiger. Je ne saurais excuser le crime ! Ça, pour Hercule Poirot, c'est son dernier mot.

Nadine Boynton se leva. Son regard jetait des éclairs :

— Eh bien, continuez ! Plongez des innocents dans la ruine et le désespoir ! Pour ma part, je n'ai rien d'autre à dire !

— Oh si, madame. Je pense que vous en avez beaucoup à dire...

— Non. Rien de plus.

— Mais si. Que s'est-il passé, madame, *après* que vous avez quitté votre belle-mère ? Pendant que votre mari et vous étiez ensemble dans la tente principale ?

Elle haussa les épaules :

— Comment le saurais-je ?

— Je gage que vous le savez — ou que vous en avez l'intuition.

Elle le regarda dans les yeux :

— Je ne sais rien, monsieur Poirot.

Et elle quitta la pièce.

8

Poirot s'accorda le temps d'une brève mention sur son bloc-notes — *N.B. 16 h 40* —, puis il ouvrit la porte et appela l'ordonnance que le colonel Carbury avait mis à sa disposition, un garçon intelligent qui maîtrisait bien l'anglais. Il lui ordonna d'aller chercher miss Carol Boynton.

La jeune fille entra. Poirot prêta une attention soutenue à la chevelure d'un châtain cuivré, à la tête au port altier sur un cou élancé, à l'énergie nerveuse que dégageaient les mains longues et fines.

— Asseyez-vous, mademoiselle.

Elle s'exécuta. Son visage très pâle n'exprimait rien. Poirot se lança dans de machinales condoléances, auxquelles la jeune fille acquiesça mollement.

— Et maintenant, mademoiselle, voudriez-vous me décrire la manière dont vous avez passé ce triste après-midi ?

Elle entama sa réponse avec une vivacité qui donnait à penser qu'elle avait été patiemment préparée d'avance :

— Après le déjeuner, nous sommes tous partis nous promener. Je suis revenue au camp...

— Un instant, je vous prie, coupa Poirot. Vous vous trouviez encore tous ensemble ?

— Non. J'ai passé la plupart du temps avec mon frère Raymond et avec miss King. Et puis j'ai continué seule.

— Je vous remercie. Vous me disiez donc que vous étiez revenue au camp. Vers quelle heure, à peu près ?

— Je crois qu'il était 5 h 10.

Poirot écrivit : *C.B. 17 h 10.*

— Et alors ?

— Ma mère était toujours assise là où nous l'avions laissée. Je suis montée lui parler, puis je suis allée dans ma tente.

— Vous souvenez-vous de la conversation ?

— J'ai dit seulement qu'il faisait très chaud, et que j'allais m'étendre. Ma mère ma répondu qu'elle voulait rester où elle était. C'est tout.

— Rien, dans son apparence, ne vous a paru sortir de l'ordinaire ?

— Non. A moins que...

Elle s'arrêta, incertaine, fixant le détective.

— Ce n'est pas de moi que vous obtiendrez la réponse, mademoiselle, sourit Poirot.

— Je réfléchissais. Sur le moment, j'y ai à peine prêté attention. Mais maintenant, avec le recul...

— Oui ?

— Eh bien, c'est vrai, dit lentement Carol. Elle avait un teint bizarre... le visage très rouge... plus rouge que d'habitude.

— Peut-être avait-elle subi un choc ? suggéra Poirot.

Carol écarquilla les yeux :

— Un choc ?

— Oui, elle aurait pu avoir, mettons, une altercation avec un des serviteurs arabes.

— Oh !

Le visage de Carol s'éclaira :

— Oui... c'est possible.

— Mais elle ne vous a pas parlé d'un incident de ce genre ?

— N-non, non, pas du tout.

— Et qu'avez-vous fait ensuite, mademoiselle ?

— Comme je vous le disais, je suis allée dans ma tente et je me suis étendue pendant une demi-heure à peu près. Et puis je suis descendue à la tente principale. Mon frère et sa femme étaient là. Ils lisaient.

— Et vous, qu'avez-vous fait ?

— Oh, j'avais un peu de raccommodage. Et puis j'ai pris un magazine.

— Quand vous êtes descendue à la tente principale, avez-vous parlé à nouveau avec votre mère ?

— Non. J'y suis allée tout droit. Je pense que je n'ai même pas jeté un coup d'œil dans sa direction.

— Et après ?

— Je n'ai plus bougé de la grande tente — jusqu'à ce que miss King vienne nous dire qu'elle était morte.

— Et cela, c'est tout ce que vous savez, mademoiselle ?

— Oui.

Poirot se pencha en avant. Son ton resta le même — léger, presque mondain :

— Et qu'avez-vous *ressenti*, mademoiselle ?

— Ce que j'ai ressenti ?

— Oui... quand vous avez appris que votre mère — pardon, c'était votre « marâtre », n'est-ce pas ? — ... qu'avez-vous ressenti quand vous avez appris qu'on l'avait trouvée morte ?

Elle ouvrit de grands yeux :

— Je ne comprends pas ce que vous voulez dire.

— Je suis convaincu que vous comprenez très bien.

Elle baissa les paupières. Et elle hasarda :

— Ç'a été... oui, ç'a été un grand choc.

— Vraiment ?

Le feu aux joues, Carol jeta à Poirot un regard défait, où se lisait la peur.

— *Etait-ce* un tel choc, mademoiselle ? *Surtout quand on se souvient de certains propos que vous avez échangés avec votre frère Raymond, un soir, à Jérusalem ?*

Le coup avait porté. On eût cru que le sang avait fui ses pommettes.

— Vous savez ça ? murmura-t-elle.

— Hé oui !

— Mais comment... comment ?

— Une partie de votre conversation a été entendue.

— Mon Dieu !

Carol Boynton enfouit son visage dans ses mains. Des sanglots la secouèrent.

Poirot patienta un moment, puis il reprit dans un murmure :

— Vous complotiez tous les deux la mort de votre belle-mère.

Carol laissa libre cours à son désespoir :

— Nous étions fous... fous, ce soir-là ! hoqueta-t-elle.

— Peut-être.

— Vous ne pouvez pas comprendre dans quel état nous étions !

Elle se redressa, chassant les cheveux qui cascadaient sur son visage :

— Ça peut paraître incroyable. Tant que nous étions aux Etats-Unis, la vie ne nous paraissait pas si terrible — mais ce voyage nous a chamboulé la cervelle.

— Chamboulé la cervelle ? Comment cela ? demanda Poirot avec une soudaine gentillesse.

— Nous avons bien vu que nous étions différents... des autres gens ! C'est... c'est ça qui nous a désespérés. Et puis il y avait Jinny.

— Jinny ?

— Ma sœur. Vous ne l'avez pas vue. Elle devenait... eh bien, elle devenait bizarre. Et Mère ne faisait que la rendre plus malade. Elle n'avait pas l'air de se rendre compte. Ray et moi, nous avions peur que Jinny ne devienne folle, vraiment folle ! Et nous savions que Nadine pensait comme nous, et ça nous

151

faisait encore plus peur, parce que Nadine s'y connaît en soins aux malades et à tous ces problèmes-là.

— Oui, oui ?

— Ce soir-là, à Jérusalem, la machine s'est comme emballée ! Ray n'était plus lui-même. Lui et moi, nous avions perdu la tête, et nous pensions — oui, nous pensions que nous avions *raison* d'échafauder un plan comme celui-là ! Mère... Mère n'avait *plus* sa tête. Je ne sais pas ce que vous en pensez, mais, parfois, il paraît juste, presque chevaleresque, de tuer quelqu'un !...

Poirot branla du chef avec lenteur :

— Oui. L'histoire démontre que c'est une idée qui est venue à bien des gens.

— C'est dans cet état d'esprit que nous étions, Ray et moi, ce soir-là.

De la main, elle frappa la table et reprit :

— Mais ce plan, nous ne l'avons pas réalisé. Bien sûr que non, nous ne l'avons pas réalisé ! Le lendemain matin, avec le jour, tout ça nous a paru absurde, grotesque... oh, ça, oui — et surtout *mal* ! Croyez-moi, croyez-moi, monsieur Poirot, Mère est morte de manière parfaitement naturelle, d'une crise cardiaque. Raymond et moi, nous n'y sommes pour rien.

— Pourriez-vous, mademoiselle, dit Poirot avec calme, me jurer sur votre vie éternelle que vous n'êtes pas à l'origine de la mort de Mrs Boynton ?

Carol leva le front. Sa voix se fit ferme et vibrante :

— Je jure sur ma vie éternelle que je ne lui ai jamais fait le moindre mal.

Poirot se renfonça dans son fauteuil.

— Eh bien, dit-il, voilà qui est fait.

Il y eut un silence, qu'il mit à profit pour caresser pensivement ses chères moustaches.

— Racontez-moi donc votre plan, finit-il par murmurer.

— Notre plan ?

— Oui. Votre frère et vous, vous aviez soi-disant échafaudé un plan.

Un ange passa. Dans sa tête, Poirot compta les secondes. Une, deux, trois...

— Nous n'avions aucun plan, finit par lâcher Carol. Nous n'en sommes jamais arrivés là.

Poirot se leva :

— Ce sera tout, mademoiselle. Aurez-vous la gentillesse de m'envoyer votre frère ?

Carol se dressa à son tour, indécise :

— Monsieur Poirot, est-ce que... Est-ce que vous me croyez ?

— Vous ai-je dit que je ne vous croyais pas ?

— Non, mais...

— M'enverrez-vous votre frère ?

— Oui.

Elle marcha lentement vers la porte. Sur le seuil, elle se retourna, soudain violente :

— Je vous ai dit la vérité — la *vérité* !

Hercule Poirot s'abstint de répondre.

Carol Boynton s'en fut, traînant les pieds.

9

Il était impossible de ne pas remarquer la ressemblance entre Raymond Boynton et sa sœur.

Le jeune homme arborait un air grave et posé, qui ne reflétait ni peur ni nervosité. Il se laissa tomber dans un fauteuil, fixa intensément Poirot et dit seulement :

— Eh bien ?

— Votre sœur vous a parlé ? demanda Poirot avec douceur.

Raymond hocha la tête :

— Oui, à l'instant. Evidemment, je comprends bien ce qui justifie vos soupçons. Si notre conversation de ce soir-là a été surprise, je vous accorde que la mort brutale de ma belle-mère peut à coup sûr paraître suspecte ! Je ne peux que vous donner l'assurance que tout cela n'était... que la folie d'un soir ! Nous étions sous le coup d'une effroyable tension. Ce plan extravagant de tuer ma belle-mère a fonctionné comme — oh, comment vous dire ça ? — un peu comme la soupape d'une chaudière, qui cède avant que la vapeur ne fasse tout sauter !

Poirot hocha doucement la tête.

— Ça, murmura-t-il, ce n'est pas impossible.

— Bien sûr, le lendemain matin, tout ça nous a paru assez absurde ! Je vous jure, monsieur Poirot, que je n'ai jamais plus repensé à cette histoire !

Poirot observait le silence.

— Oh oui, reprit vivement Raymond, je sais que c'est facile à *dire*. Je ne m'attends pas à être cru sur ma bonne mine. Mais les faits sont là. J'ai encore parlé avec Mère un peu avant 6 heures du soir. Elle était bien vivante, je vous assure. Je suis passé par ma tente, j'ai fait un brin de toilette et je suis allé retrouver les autres dans la tente principale. Et ni Carol ni moi n'en avons plus bougé. Tout le monde pouvait nous voir. Comprenez bien, monsieur Poirot, que la mort de ma mère était une mort naturelle — une défaillance cardiaque, je ne vois que ça à vous proposer ! Il y avait des serviteurs un peu partout, des allées et venues... Toute autre hypothèse est absurde.

Poirot intervint, placide :

— Savez-vous, Mr Boynton, que miss King croit pouvoir affirmer que, quand elle a examiné le corps, à 6 heures et demie, la mort était survenue depuis au moins une heure et demie, et plus probablement *deux heures* plus tôt ?

Raymond afficha sa surprise. Il semblait confondu.

— Sarah a déclaré *ça* ? hoqueta-t-il.

Poirot hocha la tête :

— Qu'avez-vous à dire, maintenant ?

154

— Mais... c'est impossible !

— C'est cependant le témoignage de miss King. Et, maintenant, *vous*, vous venez prétendre que votre mère était en pleine santé quarante minutes à peine avant que miss King ne voie le cadavre.

— Mais elle l'était !

— Attention à ce que vous dites, Mr Boynton.

— Sarah s'est *sûrement* trompée ! Il doit y avoir un facteur dont elle n'a pas tenu compte. La réverbération des rochers — quelque chose. Je vous garantis, monsieur Poirot, que ma mère était tout ce qu'il y a de vivante juste avant 6 heures, quand je lui ai parlé.

Les traits de Poirot s'étaient figés. Raymond Boynton reprit d'un ton très calme :

— Monsieur Poirot, je sais comment vous voyez les choses, mais pensez-y objectivement. Vous avez des préjugés. Et c'est bien normal. Vous baignez dans le crime comme un poisson dans l'eau. Et, à vos yeux, la première mort subite venue est un crime potentiel ! Ne vous rendez-vous pas compte que vous perdez parfois le sens de la mesure ? Il y a tous les jours des gens qui meurent — surtout s'ils ont le cœur malade — et leur mort n'a rien que de très naturel.

— Essayeriez-vous de m'apprendre mon métier ? soupira Poirot.

— Non, bien sûr que non. Mais vous avez des a priori, à cause de cette malheureuse conversation. Si on écarte ces propos hystériques entre Carol et moi, la mort de ma mère n'offre pas prise au plus petit soupçon.

Le détective secoua la tête en signe de dénégation :

— Vous êtes dans l'erreur. Il y a autre chose : le poison dérobé dans la trousse du Dr Gérard.

— Le *poison* ? s'exclama Raymond en écarquillant les yeux. Le *poison* ?

Il recula son fauteuil d'un cran. Il semblait au comble de la stupeur :

— C'est *ça*, ce que vous soupçonnez ?

Hercule Poirot laissa à son interlocuteur le temps

de digérer l'information. Puis s'enquit tranquillement, comme avec indifférence :

— Votre plan à vous était différent, non ?

— Oh, oui, balbutia Raymond. C'est pourquoi — c'est pourquoi ça change tout... Je — je n'y comprends plus rien.

— Et c'était quoi au juste, *votre* plan ?

— Notre plan ? Ça consistait à...

Raymond s'arrêta net. Son regard s'alluma, se fit méfiant :

— Je crois que je n'en dirai pas davantage.

— Comme il vous plaira, dit Poirot.

Il suivit, pensif, le départ du jeune homme.

Puis, prenant son bloc-notes, il y inscrivit, de sa petite écriture précise : *R.B. 17 h 55 ?*

Il s'empara ensuite d'une grande feuille de papier et commença d'écrire.

Sa tâche achevée, il s'enfonça dans son fauteuil, la tête penchée de côté comme pour en mieux méditer le résultat :

Les Boynton et Jefferson Cope quittent le camp : 15 h 05 (env.)

Le Dr Gérard et Sarah King quittent le camp : 15 h 15 (env.)

Lady Westholme et miss Pierce quittent le camp : 16 h 15

Le Dr Gérard revient au camp : 16 h 20 (env.)

Lennox Boynton revient au camp : 16 h 35

Nadine Boynton revient au camp et parle avec Mrs Boynton : 16 h 40

Nadine Boynton abandonne sa belle-mère et se rend dans la tente principale : 16 h 50 (env.)

Carol Boynton revient au camp : 17 h 10

Lady Westholme, miss Pierce et Mr Jefferson Cope reviennent au camp : 17 h 40

Raymond Boynton revient au camp : 17 h 50

Sarah King revient au camp : 18 h 00

Le cadavre est découvert : 18 h 30.

10

— Il y a de quoi être perplexe, murmura Hercule Poirot.

Il replia son aide-mémoire et donna l'ordre de faire entrer Mahmoud. Le *drogman* ventripotent faisait preuve d'une infatigable volubilité. De sa bouche, les mots jaillissaient comme en cascade :

— Toujours, toujours, je suis reproché. Quand quelque chose arrive, toujours on dit c'est ma faute. Quand lady Ellen Hunt elle se foule la cheville à la Lieu du Sacrifice, encore c'est ma faute, pourtant qu'elle a des talons hauts et qu'elle est soixante ans — peut-être soixante-dix. Ma vie, c'est pas existence ! Ah ! toutes les misères et les iniquités que les Juifs ils nous font...

Poirot parvint enfin à endiguer ce flot tumultueux et à poser la question qui lui tenait à cœur.

— La demie d'après 5 heures, vous disez ? répondit Mahmoud. Non, je pense aucun des serviteurs était présent. Vous sachez, le déjeuner, il est tard. A 2 heures. Et il faut nettoyer. Après le déjeuner, sommeil l'après-midi tout. Oui, les Américains, le thé pas pour eux. Tout le monde dort à 3 heures et demie. A 5 heures, moi que je suis l'homme de l'efficacité — toujours — toujours, je vérifie le confort des messieurs et des dames que je suis à leur service. Je sors parce que tout le temps les dames anglaises elles veulent du thé. Mais il y a personne. Tout le monde il est à la promenade. Pour moi, c'est très bon. Meilleur que l'habitude. Je peux retourner dormir. A 6 heures moins le quart, les difficultés elles commencent. Une grande dame anglaise — une *lady* très chic — elle revient et elle veut du thé, même si les *boys* ils font déjà le couvert pour dîner. Elle fait plein des histoires. Elle dit que l'eau elle doit avoir bouillu. Je dois voir tout moi en personne. Ah, mon bon messieurs ! Quelle vie ! quelle vie ! Je fais comme je pouvais — et toujours reproché... Je...

Poirot coupa court à ces jérémiades :

— Il y a encore un petit problème. La dame qui est morte s'est mise en colère contre un des *boys*. Est-ce que vous savez lequel, et de quoi il s'agissait ?

Mahmoud leva au ciel des bras impuissants :

— Si je sachais ? Mais naturellement pas. La vieille dame elle s'est pas plainte à moi.

— Pourriez-vous le découvrir ?

— Non, mon bon messieurs, ça serait pas possible. Pas un *boy* le reconnaîtrait. La vieille dame en colère, vous dites ? Alors les *boys* diront pas. Abdul dira seulement c'est Mohammed, et Mohammed dira c'est Aziz, et Aziz dira c'est Aïssa, et ainsi comme ça. Ils sont tous des Bédouins stupides. Comprennent que rien...

Il reprit son souffle :

— Mais moi, que j'as eu la chance bénéficier l'éducation de la Mission. Je récite à vous toute la poètrie... Keats... Shelley...

Et, sans préavis, le *drogman* débita d'une traite :

— *Iadadoveandasweedovedied*...

Poirot tressaillit. L'anglais n'était pas sa langue maternelle, et il l'employait d'une manière assez personnelle, mais il en savait assez pour ne pas souffrir de la prononciation très particulière du *drogman* :

— Magnifique ! se hâta-t-il de dire. Superbe ! Croyez-moi, je vous recommanderai à tous mes amis.

Il parvint non sans peine à échapper à l'éloquence de Mahmoud. Et il s'en fut porter son aide-mémoire au colonel Carbury qu'il trouva dans son bureau.

Le colonel repoussa son nœud de cravate un peu plus de côté et s'enquit :

— Trouvé quelque chose ?

Poirot sourit :

— Puis-je vous exposer ma théorie ?

— Si vous voulez, soupira le colonel.

Au cours de son existence, il avait largement eu sa part de théories.

— Ma théorie, c'est que la criminologie est la science la plus simple de l'univers ! Il n'y a qu'à laisser parler le criminel — tôt ou tard, il finira bien par vider son sac.

— Je crois me souvenir que vous avez déjà employé un aphorisme du même tonneau. Qui est-ce qui a parlé ?

— Tout le monde.

En quelques phrases, Poirot résuma ses entretiens de la matinée.

— Hum ! commenta le colonel. Je reconnais que vous avez levé un lièvre ou deux. Dommage qu'ils courent dans des directions opposées. Mais avons-nous de quoi ouvrir une instruction ? C'est ça, ce que je veux savoir.

— Non.

— C'est ce que je craignais.

— Mais avant ce soir, vous saurez la vérité, martela Poirot.

— Ouais... C'est ce que vous m'avez promis. Et moi, je n'en mettrais pas ma main au feu. Vous êtes convaincu que vous tenez le bon bout ?

— Absolument convaincu.

— Ça doit être une sensation formidable, grinça le colonel avec un clin d'œil que Poirot parut ne pas voir.

Le détective produisit son aide-mémoire.

— Ça, ça a au moins le mérite d'être clair, approuva le colonel en se lançant dans la lecture du document.

Il réfléchit quelques instants, puis :

— Vous savez ce que je crois ?

— Je serais ravi de vous l'entendre dire.

— Le jeune Raymond Boynton est hors du coup.

— Ah ! c'est ce que vous pensez ?

— Oui. Ce qu'il avait concocté est clair comme de l'eau de roche. Nous aurions dû savoir qu'il n'était pas dans le coup puisque, comme dans les romans policiers, il était le suspect numéro un. Vous l'aviez quasiment entendu dire en personne qu'il avait l'intention de liquider la vieille — nous aurions dû savoir que cela signifiait qu'il était innocent !

— Vous lisez des romans policiers, vous ?

— Des milliers, confirma le colonel du ton d'un écolier mélancolique. J'imagine que vous ne faites pas ce que les détectives font dans les romans ? Dresser une liste des faits significatifs — ces éléments qui paraissent futiles, mais qui sont d'une importance capitale — un truc comme ça.

— Ah, sourit Poirot. C'est ce genre de romans policiers que vous aimez ? Eh bien c'est avec plaisir que je vais faire ce que vous souhaitez.

Il prit une feuille de papier sur le bureau et écrivit rapidement, en belles lettres bien calligraphiées :

Points importants

1. Mrs Boynton prenait une préparation à base de digitaline.

2. La seringue hypodermique du Dr Gérard avait disparu.

3. Mrs Boynton trouvait un vif plaisir à empêcher sa famille de se mêler à des inconnus.

4. L'après-midi de sa mort, Mrs Boynton a encouragé sa famille à partir et à la laisser seule.

5. Mrs Boynton souffrait de tendances sadiques.

6. Une distance de deux cents mètres (en gros) séparait la tente principale de l'endroit où Mrs Boynton était assise.

7. Mr Lennox Boynton a d'abord dit qu'il ignorait l'heure de son retour au camp, mais il a reconnu ensuite qu'il avait réglé la montre de sa mère.

8. Les tentes du Dr Gérard et de miss Ginevra Boynton étaient mitoyennes.

9. Au moment du dîner, à 18 h 30, un des serviteurs a été envoyé chercher Mrs Boynton.

Le colonel déchiffra les notes de Poirot avec la plus grande satisfaction :

— Remarquable ! s'écria-t-il. C'est exactement ça ! Vous avez rendu le tout compliqué — et apparemment absurde — c'est parfait. On s'y croirait ! Cela dit, il me semble remarquer une ou deux omissions notables. Mais je suppose que c'est pour mieux appâter le chaland ?

Poirot cilla un tantinet, mais garda le silence.

— Le point 2, par exemple, continua le colonel : « La seringue hypodermique du Dr Gérard avait disparu »... ouais. Mais il manquait aussi une solution concentrée de digitaline, ou je ne sais quoi du même genre.

— C'est un élément qui compte infiniment moins que la disparition de la seringue, répliqua Poirot.

Un large sourire éclaira le visage du colonel Carbury :

— Formidable ! Je n'y étais pas du tout. *Moi*, j'aurais dit que la disparition de la digitaline était plus importante que celle de la seringue ! Et puis qu'est-ce que c'est que ces histoires de serviteurs qui commencent à fleurir dans tous les coins ? Un serviteur envoyé chercher la vieille pour dîner — et l'épisode où elle en aurait menacé un autre avec sa canne, hein ? Vous n'allez quand même pas finir par me dire que c'est un de mes pauvres rats pouilleux du désert qui lui a fait la peau, non ? Parce que ça, ce serait *de la triche*.

Poirot se contenta de sourire.

Mais, en quittant le bureau du colonel, il sifflait entre ses dents :

— C'est incroyable ! Ces Anglais ne seront jamais que des grands gosses !

11

La colline dominait Amman. Sarah, l'esprit ailleurs, cueillait des fleurs sauvages. Le Dr Gérard s'était perché sur un muret de pierre sèche.

Elle lâcha soudain, farouche :

— Qu'est-ce qui vous a pris de déclencher cette histoire ? Si *vous* n'aviez pas commencé...

— Vous pensez que j'aurais dû me taire ? demanda le médecin.

— Oui.

— Sachant ce que je savais ?

— Vous ne saviez *rien*.

— Je *savais*, vous dis-je, soupira-t-il. Mais je reconnais qu'on ne peut jamais être sûr de rien.

— Si, on peut, trancha Sarah.

Le Dr Gérard haussa les épaules :

— Vous, peut-être.

— Mais enfin ! Vous aviez la fièvre — je ne sais combien de degrés. Vous n'étiez certainement pas assez lucide pour comprendre ce qui vous arrivait. Cette seringue n'a sans doute jamais disparu. Et, pour la digitoxine, vous pouvez vous être trompé, ou bien c'est l'un des serviteurs qui a fouillé votre trousse.

— Ne vous faites pas de souci ! ricana-t-il, non sans cynisme. Mon témoignage ne mènera nulle part. Vous verrez, vos amis les Boynton s'en tireront.

— Ce n'est pas non plus ce que je veux ! jeta Sarah.

— Vous manquez de logique.

— C'est bien vous, je crois, qui m'aviez expliqué à Jérusalem les dangers de se mêler de ce qui ne vous regarde pas ? Eh bien, voyez où nous en sommes.

— Je ne me suis pas mêlé de ce qui ne me regardait pas. J'ai seulement dit ce que je savais.

— Et moi, je vous répète que vous ne *savez rien*. Seigneur, nous voilà de nouveau à nous disputer ! Je tourne en rond.

— Je suis désolé, miss King, dit le Dr Gérard avec douceur.

— Vous voyez, malgré tout, ils ne sont pas *libérés* — aucun d'entre eux. *Elle* les hante toujours. Du fond de la tombe, elle les tient encore. Elle était terrifiante. Et, maintenant qu'elle est morte, elle est plus terrifiante encore ! J'ai l'impression — j'ai l'impression qu'elle *jouit* de ce qui se passe !...

Sarah serra les poings. Puis d'une voix qui avait retrouvé son timbre ordinaire, elle constata :

— Voilà le petit homme qui grimpe la colline.

Le Dr Gérard jeta un coup d'œil par-dessus son épaule :

— Ah ! c'est nous qu'il cherche, j'imagine.

— Est-il aussi stupide qu'il en a l'air ?

— Il est tout sauf stupide, répliqua gravement le médecin.

— C'est bien ce que je craignais.

Assombrie, elle observa la lente ascension d'Hercule Poirot.

Quand il les eut enfin rejoints, le détective émit un « Ouf ! » sonore et s'épongea le front. Puis il contempla d'un air attristé ses bottines vernies.

— Hélas ! gémit-il. A-t-on jamais vu pays si hérissé de cailloux ? Mes pauvres bottines.

— Vous pouvez emprunter le nécessaire à chaussures de lady Westholme, se moqua peu charitablement Sarah. Et sa peau de chamois. Elle voyage avec un attirail complet de femme de chambre.

— Ce n'est pas cela qui effacera les éraflures, mademoiselle, se désola Poirot tout chagrin.

— Peut-être pas, effectivement. Mais pourquoi diable porter des chaussures pareilles dans ce genre de pays ?

Poirot inclina légèrement la tête :

— Quelles que soient les circonstances, j'aime à rester soigné de ma personne.

— A votre place, dans le désert, j'y renoncerais, grinça-t-elle.

— C'est vrai que, dans le désert, les femmes ne se

163

présentent pas sous leur meilleur jour, commenta, rêveur, le Dr Gérard. Certes, miss King parvient à rester toujours impeccable et élégante. Mais cette lady Westholme, par exemple, avec ses oripeaux épais, ses épouvantables culottes de cheval et ses bottes... quelle horreur de bonne femme ! Et la pauvre miss Pierce — avec ses robes avachies comme autant de feuilles de chou fanées et ses chaînes qui tintinnabulent ! Même la jeune Mrs Boynton, qui est belle, n'est pas ce qu'on appelle chic ! Elle s'habille n'importe comment.

Sarah fit preuve d'agacement :

— Croyez-vous vraiment que M. Poirot soit monté jusqu'ici pour parler fanfreluches ?

— Non, répondit Poirot. Je suis venu demander conseil au Dr Gérard. J'attache du prix à son point de vue — et au vôtre aussi, mademoiselle. Vous êtes jeune. On vous a enseigné la psychologie la plus moderne. Voyez-vous, je voudrais que vous me disiez tout ce que vous pouvez me dire sur Mrs Boynton.

— Vous ne savez pas encore tout ça par cœur ? jeta Sarah.

— Pas encore. Or, j'ai l'intuition — non, pas l'intuition — la certitude que la personnalité de Mrs Boynton est essentielle dans cette affaire. Et je suis persuadé que des caractéristiques psychiques comme les siennes sont familières au Dr Gérard.

— De mon point de vue, il s'agissait certainement d'un cas intéressant, reconnut le médecin.

— Expliquez-moi.

Il était clair que le Dr Gérard ne voyait aucune raison de ne pas exposer dans le détail son opinion sur le sujet. Méthodiquement, il expliqua donc l'intérêt qu'il portait à la famille Boynton, et rapporta la conversation qu'il avait eue avec Jefferson Cope, soulignant au passage la manière totalement erronée qu'avait ce dernier d'envisager la situation.

— C'est un grand sentimental, non ? sourit Poirot.

— Si, fondamentalement. Il fait preuve d'un idéalisme fondé sur une profonde paresse intellectuelle.

Prendre la nature humaine sous son meilleur jour et la vie du bon côté, c'est ce qu'on pourrait appeler suivre la pente du moindre effort ! Notre ami Jefferson Cope, par conséquent, n'a pas la moindre idée de ce que les gens peuvent être en réalité.

— Ce qui peut parfois se révéler dangereux, commenta Poirot.

— Il refusait d'imaginer que ce que j'appellerai « le cas Boynton » puisse être autre chose qu'une déviance de l'amour maternel. Et il n'avait pas perçu un instant tout le substrat latent de haine, de servitude, de malheur et de révolte.

— Ça, ce n'est pas malin.

— Mais malgré tout, poursuivit le Dr Gérard, même le plus invétéré et le plus obtus des optimistes ne peut rester éternellement aveugle à la réalité. Et je crois que, au cours du voyage à Pétra, Jefferson Cope a fini par ouvrir les yeux.

Le médecin fit alors un bref compte rendu de la conversation qu'il avait eue avec l'Américain le matin même de la mort de Mrs Boynton.

— Cette histoire de la petite bonne, releva Poirot, je la trouve bien intéressante. Elle donne un éclairage assez cru sur les méthodes de la vieille dame.

— Dans l'ensemble, cette matinée a été étrange, continua le Dr Gérard. Vous n'êtes pas allé à Pétra, monsieur Poirot. Mais si vous décidez un jour de le faire, il faudra absolument que vous montiez jusqu'au « Lieu du Sacrifice ». C'est un endroit qui a — comment dirais-je ? — de l'atmosphère !

Il décrivit la scène en détail et ajouta :

— Mademoiselle, ici présente, siégeait là-haut tel un juge et plaidait en faveur du sacrifice d'un seul pour le salut de la multitude. Vous vous en souvenez, miss King ?

Sarah frissonna :

— Taisez-vous ! Ne reparlons pas de ce jour-là.

— Parlons-en, au contraire, dit Poirot. Remontons dans le passé. Dr Gérard, votre description de la personnalité de Mrs Boynton m'a vivement intéressé.

Mais je n'arrive tout de même pas à comprendre comment, ayant soumis sa famille à un esclavage total, elle n'en a pas moins décidé d'entreprendre son voyage à l'étranger où elle courait le risque de voir son autorité menacée par les contacts avec l'extérieur.

Le Dr Gérard s'anima :

— Mais, justement, très cher monsieur ! Les vieilles dames sont partout les mêmes. Elles s'ennuient ! Si leur passe-temps est de faire des patiences, elles se lassent de celles qu'elles connaissent et veulent en apprendre de nouvelles. Et cela s'est passé de la même façon pour une vieille dame dont la seule distraction — aussi étrange que cela puisse paraître — consistait à dominer ses semblables et à les rendre malheureux ! Mrs Boynton, si nous osons la comparer à une dompteuse, avait maté ses tigres. Je pense que leur passage par l'adolescence lui a apporté une certaine distraction. Le mariage de Lennox avec Nadine a constitué, en quelque sorte, une aventure. Mais, tout d'un coup, l'excitation s'est émoussée. Lennox avait tellement sombré dans la mélancolie qu'il était devenu impossible de le déprimer ou de le blesser davantage. Raymond et Carol ne manifestaient aucun signe apparent de révolte. Quant à Ginevra — *ah ! cette pauvre Ginevra* ! —, c'était vraiment elle qui pouvait fournir le moins de distractions à sa mère. Parce que Ginevra, *elle*, avait trouvé le moyen d'échapper à son emprise ! Elle avait quitté la réalité pour un univers imaginaire. Et plus sa mère la harcelait, plus elle trouvait délicieux de se prendre pour une héroïne persécutée ! Bref, du point de vue de Mrs Boynton, tout cela devenait horriblement rasoir. Comme Alexandre, elle a voulu conquérir de nouveaux territoires. C'est pour cela qu'elle a décidé de ce voyage à l'étranger. Il y aurait le risque de voir ses fauves se rebeller — mais aussi l'occasion de leur infliger de nouvelles souffrances ! Ça peut paraître absurde, je le conçois, mais c'est comme ça ! Mrs Boynton recherchait des sensations nouvelles !

Poirot respira profondément :

— Voilà qui est parfait. Oui, je vois très bien ce que vous voulez dire. *C'était bien ça !* Et ça colle ! Elle avait décidé de vivre dangereusement, cette bonne Maman Boynton — et elle en a payé le prix.

Sarah intervint, très grave :

— Vous voulez dire qu'elle a poussé à bout ses victimes et qu'elles se sont rebellées ou... ou à tout le moins que l'une d'entre elles l'a fait ?

Poirot se contenta d'acquiescer de la tête.

— *Laquelle ?* demanda Sarah d'une voix qui tremblait un peu.

Le détective la regarda, les mains crispées sur les fleurs qu'elle avait cueillies, le visage pâle et figé.

Il ne répondit pas — ou, plus exactement, le Dr Gérard lui évita d'avoir à répondre en lui touchant l'épaule et en disant :

— Regardez.

Une jeune fille progressait lentement au flanc de la colline. Sa démarche possédait une sorte de grâce rythmée qui lui donnait une apparence quasi irréelle. Le cuivre roux de ses cheveux rayonnait dans le soleil. Un demi-sourire éclairait sa bouche aux lèvres fermes. Poirot en eut le souffle coupé.

— Qu'elle est belle ! murmura-t-il. Belle et étrangement émouvante... C'est comme cela qu'Ophélie devrait être jouée — comme une jeune déesse venue d'un autre monde, rayonnante du bonheur d'avoir échappé aux servitudes des joies et des malheurs des hommes.

— Oui, oui, vous avez raison, renchérit le Dr Gérard qui paraissait proche de l'extase. Elle a un visage de rêve, non ? *Moi*, j'en ai rêvé. Dans ma fièvre, j'ai ouvert les yeux et j'ai vu ce visage — ce sourire si tendre et à la fois céleste... C'était un rêve merveilleux. J'aurais voulu ne jamais me réveiller...

Puis, de son ton le plus terre à terre, le médecin précisa :

— Voici Ginevra Boynton.

12

Peu d'instants après, là jeune fille les rejoignit.

Le Dr Gérard fit les présentations :

— Miss Boynton, voici M. Hercule Poirot.

— Oh...

Elle fixa sur Poirot un regard flou. Les mains jointes, elle se tordait les doigts. La nymphe enchantée avait quitté le pays des rêves. Dans le réel, elle n'était plus qu'une adolescente comme les autres, gauche, un peu nerveuse et mal à l'aise.

— J'ai de la chance de vous rencontrer, dit Poirot. J'avais essayé de vous joindre à l'hôtel.

— Ah bon ?

Souriant vaguement, elle jouait avec la ceinture de sa jupe.

— Voulez-vous faire quelques pas avec moi ? lui demanda Poirot avec douceur.

Elle le suivit sans protester, prête à faire ses quatre volontés.

Mais bientôt elle lâcha tout à trac, d'une voix changée, haletante :

— Vous... vous êtes détective, n'est-ce pas ?

— Oui, mademoiselle.

— Un détective très connu ?

— Le meilleur détective du monde, déclara Poirot en toute simplicité, comme s'il ne s'agissait que d'énoncer une évidence.

Ginevra Boynton retint son souffle :

— Vous êtes venu ici pour me protéger ?

— Vous êtes donc en danger, mademoiselle ? demanda-t-il en tortillant ses moustaches d'un air songeur.

— Oui, oui.

Elle lança autour d'elle un coup d'œil méfiant :

— Je l'ai dit au Dr Gérard, à Jérusalem. Il a été très malin. Il a fait semblant de ne pas m'entendre. Mais il m'a suivie — jusqu'à cet épouvantable endroit avec ces rochers rouges.

Elle frissonna :

— C'est là qu'ils avaient l'intention de me tuer. Il faut que je sois sans arrêt sur mes gardes.

Poirot dodelina de la tête d'un air indulgent.

— Il est gentil... et il est bon, reprit Ginevra. Et il est amoureux de moi !

— Amoureux de vous ?

— Oh, oui. Dans son sommeil, il répète mon nom...

Sa voix ne fut bientôt plus qu'un murmure — et de nouveau une sorte de beauté incertaine, presque inhumaine, la nimba tout entière :

— Je l'ai vu — étendu sur sa couche, à se tourner et à se retourner, tout secoué de frissons. Il répétait mon nom... Je suis partie sans bruit... Je me demandais si ce n'était pas *lui* qui vous avait fait venir. J'ai des ennemis terrifiants. Ils sont toujours là, autour de moi. Quelquefois, ils se *déguisent*.

— Oui, bien sûr, acquiesça gentiment Poirot. Mais ici, vous êtes en sécurité — vous avez toute votre famille qui vous entoure.

Elle se dressa, orgueilleuse :

— Ce n'est *pas* ma famille ! Je n'ai rien à voir avec eux. Je ne peux pas vous dire qui je suis vraiment — c'est un secret d'état. Vous seriez bien étonné si vous l'appreniez.

— Est-ce que la mort de votre mère vous a causé un grand choc ?

Ginevra tapa du pied :

— Je vous l'ai déjà dit — ce n'était *pas* ma mère ! Mes ennemis la payaient pour prétendre qu'elle était ma mère et m'empêcher de m'enfuir !

— Où étiez-vous, l'après-midi de sa mort ?

— J'étais sous ma tente... Il y faisait très chaud, mais je n'osais pas sortir. *Ils* auraient pu essayer de m'avoir...

Elle réprima un frisson :

— Il y en a un — il a regardé dans ma tente. Il était déguisé, mais je l'ai reconnu. J'ai fait semblant de dormir. C'était le Cheik qui l'avait envoyé. Le Cheik voulait évidemment m'enlever.

Poirot poursuivit un moment sa marche en silence, puis il sourit enfin :

— Elles sont bien jolies, ces histoires que vous vous racontez à vous-même !

Elle s'arrêta net. Et elle le foudroya du regard :

— Elles sont *vraies* ! Elles sont tout ce qu'il y a de plus *vraies* !

Et, de nouveau, elle tapa d'un pied vengeur.

— Oh, concéda Poirot, ce qu'il y a d'exact, c'est qu'elles sont bien imaginées.

— Elles sont vraies ! hurla-t-elle. *Vraies !*

Puis, furieuse, elle tourna les talons et s'élança sur le sentier qui descendait la colline. Poirot la regarda s'éloigner. Deux minutes plus tard, il entendit une voix derrière lui :

— Que lui avez-vous dit ?

Poirot se retourna. Le Dr Gérard était là, un peu essoufflé. Sarah arrivait, d'un pas plus mesuré.

— Je lui ai dit, expliqua Poirot, qu'elle se racontait de jolies histoires.

Le médecin hocha la tête, pensif :

— Et elle s'est mise en colère ? C'est bon signe. Cela montre qu'elle n'est pas encore complètement passée de l'autre côté du miroir. Elle sait encore que ses fantasmes ne sont *pas* la vérité. Je vais pouvoir la guérir.

— Vous entreprenez un traitement ?

— Oui, j'en ai parlé avec la jeune Mrs Boynton et avec son mari. Ginevra va venir à Paris, où je l'accueillerai dans une de mes cliniques. Après ça, elle suivra des cours d'art dramatique.

— D'art dramatique ?

— Oui. Voyez-vous, il y a là pour elle d'immenses possibilités de succès. Et c'est ce qu'il lui faut — ce qu'elle *doit* avoir ! Fondamentalement, sa psychologie ressemble à celle de sa mère.

— Non ! se révolta Sarah.

— Cela peut vous sembler impossible, mais elles

partagent beaucoup de traits communs. Toutes deux sont nées avec un violent besoin de jouer un rôle, avec le désir d'impressionner ! La pauvre enfant a été à chaque instant contrainte, frustrée. Elle n'a trouvé aucun exutoire à son ambition farouche, à son amour de la vie. Elle n'a jamais pu exprimer le romantisme échevelé de sa personnalité.

Le médecin eut un rire bref et conclut :

— Mais nous allons changer tout cela !

Puis, sur un petit salut, il murmura un « Excusez-moi » hâtif et se lança à la poursuite de la jeune fille.

— Le Dr Gérard prend son travail très à cœur, commenta Sarah.

— Très à cœur, j'ai en effet cru le remarquer, acquiesça Poirot.

— Tout de même, reprit Sarah, sourcils froncés, je ne peux pas accepter qu'on la compare à cette horrible vieille bonne femme. Encore qu'une fois... j'ai moi-même éprouvé de la pitié pour Mrs Boynton.

— Quand cela, mademoiselle ?

— C'est cet épisode à Jérusalem dont je vous ai déjà parlé. Tout d'un coup, j'ai eu le sentiment que tout allait de travers. Vous savez ce que c'est quand, pendant un court instant, on voit tout en dépit du bon sens ? Je me suis excitée, j'ai foncé et je me suis rendue ridicule.

— Alors, là... pas du tout !

Sarah, comme chaque fois qu'elle se souvenait de son algarade avec Mrs Boynton, était rouge comme une pivoine :

— Je ressentais une espèce d'exaltation, comme si j'étais investie d'une mission divine ! Et, bien après, quand lady Westholme m'a regardée d'un œil de merlan frit et m'a dit qu'elle m'avait vue parler avec Mrs Boynton, j'ai pensé qu'elle avait probablement tout entendu, et je me suis sentie complètement idiote.

— Que vous a donc exactement dit la vieille Mrs Boynton ? Vous rappelez-vous précisément les mots qu'elle a utilisés ?

— Je crois que oui. Ça m'a beaucoup frappée. « *Je*

n'oublie jamais rien », voilà ce qu'elle a dit.
« *Rappelez-vous bien cela. Je n'ai jamais rien oublié —
ni un geste, ni un nom, ni un visage.* » Et elle a dit
cela avec une telle méchanceté — sans même me
regarder. J'ai l'impression — encore maintenant j'ai
l'impression d'avoir sa voix dans les oreilles...

— Ça vous a laissé un souvenir impérissable, sourit Poirot.

— Oui. Croyez-moi, il en faut beaucoup pour me
faire peur. Mais quelquefois, en rêve, j'entends
encore ses paroles et je revois son visage mauvais,
son regard triomphant. Brrr !

Un frisson la secoua. Et soudain elle se tourna
vers lui :

— Monsieur Poirot, je ne devrais peut-être pas
poser cette question, mais êtes-vous parvenu à des
conclusions dans cette affaire ? Avez-vous découvert
des indices précis ?

— Oui.

— Quoi ? murmura la jeune femme dont les lèvres
frémissaient.

— J'ai découvert à qui Raymond Boynton parlait
cette fameuse nuit, à Jérusalem. C'était à sa sœur
Carol.

— Carol — bien sûr !

Elle bafouilla, tenta de se reprendre :

— Est-ce que vous lui avez dit... est-ce que vous
lui avez demandé...

Les mots se bloquaient dans sa gorge. Elle ne
pouvait plus articuler un mot. Poirot lui lança un
regard de commisération :

— Cela... a tant d'importance pour vous, mademoiselle ?

— Toute l'importance du monde !

Elle se força à carrer les épaules :

— Il faut que je *sache*.

Poirot choisit d'adopter un ton léger :

— Il m'a dit qu'il s'agissait d'un accès d'hystérie —
sans plus. Que sa sœur et lui étaient à bout. Il m'a dit

aussi que, le lendemain matin, ils avaient pensé tous les deux qu'ils avaient déliré.

— Je vois...

— Miss King, souffla Poirot, si vous me disiez de quoi vous avez peur ?

Sarah tourna vers lui un visage blême, marqué des stigmates du désespoir :

— Cet après-midi-là, nous étions ensemble. Et il m'a quittée en me disant... en me disant qu'il voulait faire quelque chose *tout de suite* — pendant qu'il en avait le courage. Je croyais qu'il voulait seulement... seulement lui parler de nous. Mais imaginez qu'il ait voulu...

Sa voix se brisa. Raide, crispée, elle luttait pour rester maîtresse d'elle-même.

13

Nadine Boynton sortit de l'hôtel. Comme elle semblait hésiter, une silhouette jaillit de l'ombre.

En deux enjambées, Jefferson Cope se retrouva à son côté :

— Marcherons-nous dans cette direction ? proposa-t-il. Je crois que c'est la plus jolie promenade.

Elle acquiesça.

Ils s'éloignèrent et Jefferson Cope discourut. Il débitait des flots de paroles avec une redoutable monotonie. On pouvait se demander s'il était conscient que Nadine n'écoutait pas. Alors qu'ils s'engageaient sur un sentier, au flanc d'une colline où les fleurs le disputaient aux cailloux, elle l'interrompit, très pâle :

— Pardonnez-moi, Jefferson, mais il faut que je vous parle.

— Mais, certainement, très chère. Tout ce que

173

vous voudrez pourvu que vous ne vous mettiez pas martel en tête.

— Vous êtes plus lucide que je ne l'imaginais. Vous savez déjà ce que j'ai à vous dire, n'est-ce pas ?

— Il est indubitable, répondit Mr Cope, que les circonstances commandent nos vies. Et je crois très profondément que, dans les circonstances présentes, il est des décisions qui doivent être reconsidérées. Il vous faut suivre votre propre voie, Nadine, et agir ainsi que vous l'entendez.

— Vous êtes si *bon*, Jefferson, répliqua-t-elle, très émue. Si patient ! Et moi, je vous ai bien mal traité. Je me suis conduite à votre égard comme la dernière des dernières.

— Allons, Nadine, voyons les choses en face. En ce qui vous concerne, j'ai toujours su quelles étaient mes limites. Depuis que je vous connais, je ressens pour vous la plus profonde des tendresses, doublée d'un infini respect. Tout ce que je souhaite, c'est votre bonheur. C'est lui que j'ai toujours souhaité. Vous voir malheureuse a failli me rendre fou. Et je dois avouer que j'en ai voulu à Lennox. Il me semblait qu'il ne méritait pas de vous garder s'il n'était pas capable d'accorder à votre bonheur un peu plus d'importance qu'il ne lui en donnait.

Mr Cope prit une profonde inspiration et poursuivit :

— Mais, maintenant, je dois admettre qu'après ce voyage à Pétra en votre compagnie, j'en suis venu à penser que Lennox n'était peut-être pas aussi coupable que je l'avais imaginé tout d'abord. Qu'il était moins égoïste envers vous que trop porté à s'effacer devant sa mère. Je m'en voudrais de critiquer une défunte, mais j'ai la conviction que votre belle-mère était une femme d'un caractère exceptionnellement difficile.

— Oui, je crois qu'on peut le dire, murmura Nadine.

— Quoi qu'il en soit, hier, vous êtes venue m'annoncer votre ferme intention de quitter Lennox.

J'ai applaudi à cette décision. C'était intenable, cette vie que vous meniez. Vous vous êtes montrée parfaitement honnête avec moi. Vous n'avez pas essayé de me faire croire que vous aviez pour moi plus qu'une certaine affection. Ma foi, je n'en demandais pas davantage. Tout ce que je souhaitais, c'était que la chance me soit enfin donnée de m'occuper de vous et de vous chérir comme vous le méritez. J'oserai dire que cet après-midi a été le plus heureux de toute mon existence.

— Je suis désolée, fit Nadine, au bord des larmes. Je suis désolée...

— Mais il n'y a pas de quoi, très chère. Je n'ai jamais vraiment cru, voyez-vous, que tout cela était bien réel. J'avais le pressentiment qu'il était écrit que vous changeriez d'avis le lendemain matin. Eh bien, je constate que les choses ont en effet évolué. Lennox et vous pourrez désormais mener votre vie ensemble.

— Oui, répondit-elle, plus calme. Je ne peux pas quitter Lennox. Il faut me pardonner.

— Je ne vois pas ce que je pourrais avoir à vous pardonner. Vous et moi allons redevenir de vieux amis. Et nous oublierons cet après-midi.

Nadine lui posa la main sur le bras :

— Cher Jefferson, merci. Je vais aller retrouver Lennox.

Elle s'en fut. Et Mr Cope, solitaire, poursuivit son chemin.

Nadine trouva Lennox assis sur la plus haute rangée de gradins du théâtre gréco-romain. Ses pensées l'absorbaient tant qu'il ne s'aperçut de son arrivée que quand elle se laissa tomber, hors d'haleine, à côté de lui.

— Lennox...

Il se tourna à demi :

— Nadine...

— Nous n'avons pas encore pu parler, dit-elle.

Mais tu sais, n'est-ce pas, que je ne vais pas te quitter ?

— Tu en avais vraiment l'intention, Nadine ? demanda-t-il, très grave.

Elle hocha la tête :

— Oui. Tu vois, je croyais qu'il n'y avait plus rien d'autre à faire. Mais j'espérais... oui, j'espérais que tu viendrais me reprendre. Pauvre Jefferson — comme j'ai été cruelle avec lui.

Lennox éclata soudain d'un rire bref :

— Mais non, voyons. A quelqu'un d'aussi altruiste que Cope, il faut offrir l'occasion de donner libre cours à son côté chevaleresque ! Et tu avais raison, tu sais, Nadine. Quand tu m'as dit que tu allais partir, tu m'as donné le choc de ma vie ! Tu sais je pense honnêtement que, ces derniers temps, j'étais devenu cinglé ou je ne sais trop quoi. Pourquoi diable n'ai-je pas fait un pied de nez à Mère, et fichu le camp quand tu voulais que je le fasse ?

— Tu ne pouvais pas, chéri, tu ne pouvais pas, murmura Nadine.

— Mère était vraiment un fichu personnage, fit-il, badin. J'ai l'impression qu'elle nous avait tous à moitié hypnotisés.

— Pas qu'à moitié.

Lennox médita un instant :

— Quand tu m'as parlé cet après-midi-là — ç'a été comme si je recevais un coup sur la tête ! Je suis rentré au camp à moitié hagard, et puis, d'un seul coup, j'ai compris que je m'étais conduit comme un imbécile ! Je me suis rendu compte qu'il n'y avait qu'une seule chose à faire si je ne voulais pas te perdre.

Il la sentit se raidir. Son ton se fit plus sombre :

— Je suis allé la trouver et...

— Tais-toi...

Il lui lança un bref regard :

— Je suis allé la trouver et... j'ai discuté avec elle.

Lennox s'interrompit, puis il dit encore, d'une voix sourde, sans timbre :

— Je lui ai dit qu'il m'avait fallu choisir entre elle et toi. Et que c'est toi que j'avais choisie.

Il y eut un silence. Puis il répéta, comme si, curieusement, il avait besoin de s'approuver :

— Oui, c'est ça que je lui ai dit.

14

Sur le chemin qui le ramenait à son hôtel, Hercule Poirot rencontra deux personnes qui l'intéressaient vivement.

La première fut Mr Jefferson Cope.

— Monsieur Hercule Poirot ? Mon nom est Jefferson Cope.

Les deux hommes se serrèrent cérémonieusement la main.

Ensuite de quoi, emboîtant le pas au détective, Mr Cope se lança dans une allocution au style fleuri :

— Il m'est revenu aux oreilles que vous meniez une sorte d'enquête de routine sur la mort de ma vieille amie Mrs Boynton. Cette histoire nous a beaucoup secoués. Naturellement, vous le comprenez sans doute, elle n'aurait jamais dû entreprendre un voyage aussi éprouvant. Mais c'est qu'elle était entêtée, monsieur Poirot. Sa famille n'avait pas voix au chapitre. C'était une manière de tyran domestique — il y avait trop longtemps qu'elle n'en faisait qu'à sa tête, j'imagine. Et ce qu'il y a de vrai, c'est qu'il en allait toujours comme elle l'avait décidé. Oui, ça c'est en tout cas ce qu'il y a de vrai.

Après ce préambule, Mr Cope se tut un instant, puis continua :

— Ce que je voudrais juste vous faire comprendre, monsieur Poirot, c'est que je suis un vieil ami de la famille Boynton. Ils sont tous, et c'est bien normal, bouleversés par ce qui s'est passé ; et comme ils sont également du genre hypernerveux et soupe au lait, voyez-vous, s'il y avait des arrangements à prendre... des formalités à accomplir... des démarches à faire auprès des pompes funèbres... un transfert du corps à Jérusalem à organiser... eh bien, je serais tout disposé à alléger leur fardeau autant que faire se pourrait. N'hésitez pas à faire appel à moi en cas de besoin.

— Je suis sûr que la famille appréciera cette offre à sa juste valeur, répondit Poirot. Vous êtes, je crois, plus particulièrement lié avec la jeune Mrs Boynton ?

Le teint de Mr Cope rosit quelque peu :

— Oh, ne parlons pas trop de cela, monsieur Poirot. Je crois que vous avez rencontré Mrs Lennox Boynton ce matin, et qu'elle a fait allusion à la manière dont les choses auraient pu se passer entre nous. Mais tout cela est bien fini. Mrs Boynton est une femme qui connaît son devoir, et elle estime que sa place est auprès de son mari dans les tristes moments qu'il traverse.

Il y eut un silence. Poirot accueillit comme il convenait le renseignement avec un furtif hochement de la tête. Puis, d'une voix assez basse :

— Le colonel Carbury souhaite de votre part un témoignage clair sur l'après-midi de la mort de Mrs Boynton. Pouvez-vous m'en faire un compte rendu ?

— Mais certainement. Après déjeuner et une courte sieste, nous sommes tous partis pour une excursion improvisée. Nous avons ainsi échappé avec plaisir, je dois l'avouer, à cet insupportable *drogman*. Quand il parle des Juifs, cet homme ne se possède plus. Je ne suis pas persuadé qu'il soit très lucide sur la question. Quoi qu'il en soit, comme je vous le disais, nous sommes partis. C'est à ce moment-là que j'ai eu mon tête-à-tête avec Nadine. Après, elle a souhaité s'entretenir seule à seul avec son mari pour discuter de leurs problèmes. Resté seul, je suis rentré au camp sans me presser. A mi-chemin environ, j'ai rencontré les deux dames anglaises qui, le matin même, avaient participé avec moi à une sorte d'expédition. L'une d'elles appartient à l'aristocratie britannique, si j'ai bien compris ?

Poirot confirma que tel était, en effet, le cas.

— Ah ! s'enthousiasma Mr Cope, c'est une femme de valeur, supérieurement intelligente, extrêmement bien informée. L'autre ne m'a pas semblé du même calibre... et elle paraissait morte de fatigue. Cette expédition du matin était trop éreintante pour une personne déjà d'un certain âge et, par surcroît, sujette au vertige... Enfin, comme je vous le disais, j'ai rencontré ces deux dames et j'ai été en mesure de leur donner quelques renseignements sur les Nabatéens. Nous nous sommes un peu promenés de concert, puis nous sommes revenus au camp vers 6 heures. Lady Westholme a insisté pour prendre le thé, et j'ai eu le plaisir d'en boire une tasse en sa compagnie — du thé un peu faible à mon goût, mais d'une saveur intéressante. Les *boys* ont mis le couvert pour le dîner, et on a envoyé l'un d'eux chercher la vieille dame... pour découvrir qu'elle était morte dans son fauteuil.

— Vous l'aviez vue en revenant au camp ?

— J'avais seulement remarqué qu'elle était là — c'était sa place habituelle de l'après-midi et du soir, mais sans y faire autrement attention. J'étais en train d'exposer à lady Westholme le détail de la crise économique américaine. Et puis je gardais un œil sur miss Pierce. Elle était si fatiguée qu'elle n'arrêtait pas de se tordre les chevilles.

— Je vous remercie, Mr Cope. Oserai-je pousser l'indiscrétion jusqu'à vous demander si Mrs Boynton, pour autant qu'on le sache, laisse une fortune importante ?

— Une fortune considérable. D'un point de vue strictement juridique, ce n'est pas elle qui en disposait. Elle en avait l'usufruit sa vie durant, mais il était prévu qu'à sa mort, ladite fortune serait partagée entre les enfants de feu Elmer Boynton. Oui, on peut dire qu'ils seront tous très à l'aise, maintenant.

— L'argent, murmura Poirot, vous change bien des choses. Combien de crimes n'a-t-il pas poussé à commettre ?

Mr Cope parut un tantinet surpris.

— Oui, c'est possible, acquiesça-t-il vaguement.

Poirot eut un doux sourire :

— Mais un meurtre peut avoir tant de mobiles, n'est-il pas vrai ? Merci, Mr Cope, de votre aimable coopération.

— Oh, je vous en prie, je vous en prie, fit Mr Cope, éperdu. N'est-ce pas miss King que je vois assise là-bas ? Je crois que je vais aller lui dire quelques mots.

Poirot poursuivit son chemin vers le bas de la colline.

Il ne tarda pas à croiser miss Pierce qui, elle, s'époumonait à la grimper.

Elle le salua, haletante :

— Oh, monsieur Poirot, je suis si heureuse de vous rencontrer. Je viens juste de parler avec cette drôle de fille — la plus jeune, vous savez. Elle racontait les choses les plus étranges — à propos d'ennemis qui lui voudraient du mal, d'un Cheik qui souhaiterait l'enlever et d'espions qui l'entoureraient de toutes parts. Vraiment, il se dégageait de tout cela une telle *impétuosité* romanesque ! Lady Westholme prétend que ce ne sont que des sornettes, et qu'elle a eu autrefois une fille de cuisine rousse qui racontait des mensonges du même acabit, mais il m'arrive de penser parfois que lady Westholme est un peu *dure*... Et, après tout, c'est peut-être vrai, non, monsieur Poirot ? J'ai lu il y a quelques années que l'une des filles du Tsar n'avait pas été tuée pendant la Révolution et qu'elle avait pu s'enfuir secrètement en Amérique. Je crois qu'il s'agissait de la grande-duchesse Tatiana. Si tel est le cas, cette petite pourrait être sa fille, pourquoi pas ? Elle a bel et bien quelque chose de royal — et puis son type physique, vous ne trouvez pas ? Résolument slave, avec ses pommettes hautes. Oh, comme ce serait palpitant !

— Il est vrai que l'on voit dans la vie les choses les plus étranges, pontifia Poirot.

— Ce matin, je n'avais pas saisi au juste qui vous étiez ! s'exclama miss Pierce en battant des mains. Mais vous êtes, bien sûr, l'*archi*-célèbre détective !... J'ai *tout* lu sur l'affaire ABC. C'était palpitant ! J'avais un poste de gouvernante à Doncaster, à l'époque.

Poirot grommela quelques mots indistincts. De plus en plus exaltée, miss Pierce reprit :

— C'est pourquoi j'ai le sentiment que... que j'ai peut-être eu tort, ce matin. Il faut toujours dire *tout* ce qu'on sait, non ? Jusqu'au plus *infime* détail, aussi étranger au sujet qu'il puisse *paraître*. Parce que, bien sûr, si *vous* intervenez, c'est que cette pauvre Mrs Boynton a été *assassinée* ! Je viens de le comprendre à l'instant. Je n'ose imaginer que Mr Malle Moudre — je n'arrive jamais à retenir son nom — enfin, le *drogman* — je n'ose imaginer que ce soit un *agent bolchevik* ! Miss King pas davantage ! Encore que je pense qu'un bon nombre de jeunes femmes de *bonne* famille et très bien élevées ont rejoint ces affreux Communistes ! Mais enfin, je me demandais si je n'aurais pas *dû* vous en parler. Parce que, voyez-vous, c'était très *curieux* quand on y repense.

— Dites-moi tout.

— Eh bien, en fait, ce n'est pas grand-chose. C'est seulement que, le lendemain de la découverte de la mort de Mrs Boynton, je me suis réveillée assez tôt... et que j'ai regardé par la portière de ma tente pour voir le lever du soleil (bien qu'en réalité, ce n'était pas vraiment le lever du soleil, parce qu'il devait être déjà levé depuis une bonne heure). Mais ce qu'il y a, c'est qu'il était quand même tôt et...

— Bien, bien. Et qu'avez-vous vu ?

— C'est ça ce qu'il y a de curieux — encore que, sur le moment, ça ne m'ait pas *paru* grand-chose. C'est seulement que j'ai vu une des petites Boynton sortir de sa tente et jeter quelque chose dans le torrent — non qu'il y ait quoi que ce soit de mal à *ça*, bien sûr, mais quand elle l'a lancé ça a brillé au soleil. Ça a brillé, voyez-vous.

— Laquelle des filles Boynton était-ce ?

— Je pense que c'était celle qui s'appelle Carol... une très jolie fille... qui ressemble tellement à son frère... ils doivent être *jumeaux*. Remarquez, c'était *peut-être* la plus jeune. J'avais le soleil dans les yeux, je ne voyais pas très bien. Mais je ne pense pas qu'elle avait les cheveux roux — cuivrés, plutôt. Et j'adore les cheveux cuivrés ! Pour moi, fit-elle en riant sous cape, des cheveux roux, ça a toujours sous-entendu *carotte* !

— Alors, elle a lancé un objet brillant ?

— Oui. Et, comme je vous le disais, *sur le moment,* je n'y ai pas attaché d'importance. Mais, plus tard, j'ai marché le long du torrent, et miss King était dans les parages. Et là, au beau milieu des détritus les plus incroyables — jusqu'à une ou deux boîtes de conserves —, j'ai aperçu une petite boîte de métal brillant... pas vraiment carrée — une sorte de carré un peu plus long que large, si vous voyez ce que je veux dire...

— Mais bien sûr, je vois parfaitement. Long comme ça, à peu près ?

— Oui ! Oh, ce que vous êtes *intelligent* ! Alors je me suis dit : « Ça doit être *ça* que la petite Boynton a jeté, mais c'est une très jolie petite boîte. » Et, poussée par la curiosité, je l'ai ramassée et je l'ai ouverte. Il y avait une espèce de seringue à l'intérieur — exactement comme celle qu'on m'a plantée dans le bras quand on m'a vaccinée contre la typhoïde. Et j'ai trouvé que c'était bizarre qu'on l'ait jetée, parce qu'elle n'avait pas l'air cassée ni quoi que ce soit. Mais pendant que je me posais des questions, la voix de miss King s'est élevée dans mon dos. Je ne l'avais pas entendue arriver. Et elle m'a dit : « Oh, merci... c'est ma seringue. J'étais venue la chercher. » Alors je la lui ai donnée, et elle est retournée au camp avec.

Miss Pierce marqua une longue pause, puis elle se hâta de reprendre :

— Bien sûr, je suis persuadée qu'il n'y a *rien d'anormal là-dessous* — seulement cela m'a *tout de même* paru un peu curieux que Carol Boynton jette la seringue de miss King. Je veux dire... c'était bizarre, si vous voyez ce que je veux dire. Bien qu'il aille de soi qu'il doit y avoir une très bonne explication à tout ça.

Elle se tut et lança à Poirot un regard plein d'espoir.

— Je vous remercie, mademoiselle, conclut-il, soudain grave. Ce que vous venez de me dire peut n'avoir que peu d'importance en soi. Mais permettez-moi de vous confier ceci : ce détail boucle mon dossier ! Tout est clair, à présent.

— Oh, c'est vrai ?

Miss Pierce rougit de plaisir comme une enfant.

Poirot l'accompagna jusqu'à l'hôtel.

De retour dans sa chambre, il ajouta une ligne à son mémorandum :

10. « *Je n'oublie jamais rien. Rappelez-vous bien cela. Je n'ai jamais rien oublié.* »

— Qu'est-ce que je disais ? s'écria-t-il. Bien sûr que tout est clair, à présent !

15

— Mes préparatifs sont achevés, annonça Hercule Poirot.

Un peu essoufflé, il recula de quelques pas pour contempler la manière dont il avait placé le mobilier dans une des chambres inoccupées de l'hôtel.

Le colonel Carbury, nonchalamment vautré sur le lit qui avait été repoussé contre le mur, sourit en tirant sur sa pipe :

— Vous êtes un drôle de lascar, pas vrai, Poirot ? Vous aimez dramatiser les choses.

— Il y a sans doute du vrai dans ce que vous dites, concéda le petit homme. Mais ne croyez pas que je fasse ça uniquement par plaisir. Quand on joue la comédie, il faut soigner la mise en scène.

— Vous trouvez qu'il s'agit d'une comédie ?

— Même si c'est une tragédie, ce n'est pas pour autant qu'il faut négliger le décor.

Le colonel lança à Poirot un regard chargé de curiosité :

— Bah ! c'est votre affaire ! Je ne sais pas où vous avez l'intention de nous mener. Mais j'imagine tout de même que vous avez *trouvé* quelque chose.

— Je vais avoir l'honneur de vous soumettre ce que vous m'avez demandé : la vérité.

— Croyez-vous que nous pourrons aboutir à une inculpation ?

— Cela, mon bon ami, je ne saurais vous le promettre.

— Je comprends ça. Et après tout, j'aime peut-être mieux que ça se passe comme ça. Enfin, ça dépend.

— Mes arguments sont d'ordre essentiellement psychologique, précisa Poirot.

— C'est bien ce que je craignais, soupira le colonel.

— Mais ils vous convaincront, le rassura Poirot. Oh oui, ils vous convaincront. La vérité, je l'ai toujours constaté, possède par elle-même une étrange beauté.

— Parfois, elle se montre quand même bigrement déplaisante.

— Pas du tout. Ça, c'est une vision égoïste. Adoptez un point de vue abstrait, objectif. Et vous verrez à quel degré la logique des événements peut être cohérente et fascinante.

— J'essaierai, grommela le colonel.

Poirot regarda sa montre, un oignon tarabiscoté de belle taille.

— Elle appartenait à mon grand-père, expliqua-t-il.

— C'est ce que j'avais pensé.

— Il est temps d'ouvrir l'audience. Vous, mon colonel, vous prendrez place derrière cette table — cela vous aura un petit côté officiel.

— Parfait, grogna le colonel. Vous ne voulez quand même pas que j'enfile mon uniforme, non ?

— Non, non. Mais, si vous me le permettez, je vais arranger votre cravate.

Il joignit le geste à la parole. Le colonel grimaça, s'assit à la place indiquée et, peu après, ramena machinalement son nœud de cravate sous son oreille gauche.

— Là, poursuivit Poirot en déplaçant quelques chaises, nous allons faire asseoir la famille Boynton.

» Et ici, nous mettrons les deux étrangers qui sont intimement mêlés à l'affaire. Le Dr Gérard, dont le témoignage est essentiel, et miss King, qui doit être présente à titre personnel et à celui de médecin ayant examiné le corps. Et puis il y aura aussi Mr Jefferson Cope, qui est un intime des Boynton et que nous ne pouvons tenir en dehors de l'affaire... Ah, les voilà !...

Il ouvrit la porte pour faire entrer le petit groupe.

Lennox Boynton et sa femme venaient en tête, suivis de Carol et de Raymond. Ginevra, un mince sourire aux lèvres, faisait bande à part. Sarah King et le Dr Gérard fermaient la marche. Mr Jefferson Cope ne fit son apparition qu'avec quelques minutes de retard et présenta ses excuses.

Quand chacun se fut installé, Poirot prit la parole :

— Mesdames et messieurs, notre réunion est tout à fait officieuse. Elle découle de ma présence fortuite à Amman. Le colonel Carbury a bien voulu me faire l'honneur de me demander conseil et...

Le détective fut interrompu. L'interruption venait du protagoniste qu'on se serait le moins attendu à voir intervenir.

— Pourquoi ça ? jeta Lennox Boynton, agressif. Pourquoi diable a-t-il éprouvé le besoin de vous mêler à cette histoire ?

Poirot leva une main apaisante :

— On fait souvent appel à moi dans les cas de mort brutale.

— Les médecins vous téléphonent chaque fois qu'ils tombent sur une crise cardiaque ? ironisa Lennox.

— L'expression « crise cardiaque » est imprécise et peu scientifique, répliqua Poirot, sentencieux.

Le colonel Carbury se racla la gorge. C'était là un bruit de type éminemment officiel. Et, officiel, son ton ne le fut pas moins :

— Soyons clairs. On m'a soumis un rapport sur les circonstances de ce décès. Tout paraissait naturel. Un temps inhabituellement chaud pour la saison — un voyage très éprouvant pour une dame âgée de santé fragile. Jusque-là, rien à dire. Mais le Dr Gérard est venu m'apporter spontanément un témoignage...

Du regard, le colonel interrogea Poirot. Et Poirot hocha la tête.

— Le Dr Gérard, poursuivit le colonel, est un médecin de réputation mondiale. Toute déclaration de sa part mérite qu'on s'y attarde. Or, le témoignage du Dr Gérard peut se résumer ainsi : le lendemain de la mort de Mrs Boynton, il a constaté qu'une dose importante d'une substance qui a sur le cœur une action puissante avait disparu de sa trousse. La veille, dans l'après-midi, il avait aussi noté la disparition d'une seringue hypodermique. Seringue qui devait réapparaître pendant la nuit. Dernier point : il y avait une trace au poignet de la morte, correspondant à la piqûre d'une aiguille hypodermique.

Le colonel Carbury prit le temps de marquer une pause, puis reprit :

— Dans ces conditions, j'ai considéré qu'il était du devoir des autorités de mener quelques investigations. M. Hercule Poirot, qui se trouvait être mon hôte, m'a aimablement proposé ses précieux services. Je lui ai donné carte blanche pour mener une enquête à sa guise. Et c'est pour entendre ses conclusions que nous sommes ici réunis.

Le silence tomba sur l'assemblée. Un silence d'une telle densité qu'on aurait entendu choir une épingle. Dans la chambre voisine, un inconnu laissa tomber un objet, une chaussure probablement. Dans le silence étouffant, le choc résonna comme une bombe.

Poirot fixa le petit groupe de trois personnes qu'il avait à sa droite. Puis il tourna son regard vers les cinq qui se trouvaient à sa gauche. Ceux-là portaient la peur dans leurs yeux.

— Quand le colonel Carbury a fait devant moi allusion à cette histoire, préluda-t-il, je lui ai donné mon point de vue d'expert. Je lui ai dit qu'il n'était pas exclu que je ne parvienne pas à lui fournir des preuves — des preuves suffisamment solides pour être soumises à un tribunal —, mais que j'étais convaincu de découvrir la vérité, et ce par le seul interrogatoire des personnes concernées. Car laissez-moi vous dire, mes chers amis, que pour découvrir qui a commis un crime, il suffit tout bonnement de laisser *parler* le ou les coupables — ils finiront bien par me dire ce que je veux savoir !

Il fit une pause, puis ajouta :

— C'est ainsi que, dans cette affaire, même si vous m'avez menti, vous m'avez aussi, sans le vouloir, révélé la vérité.

On entendit un soupir étouffé, le raclement d'une chaise sur le parquet, du côté droit, mais Poirot ne détourna pas son regard, toujours fixé sur les Boynton.

— Tout d'abord, reprit-il, j'ai examiné l'hypothèse selon laquelle Mrs Boynton serait morte de mort naturelle. Et je ne l'ai pas retenue. La digitoxine disparue, la seringue manquante et par-dessus tout l'attitude de la famille de la défunte —, tout concourait à me convaincre que l'hypothèse en question ne menait à rien.

» Non seulement Mrs Boynton avait été tuée de

sang-froid, mais chacun des membres de sa famille en était intimement convaincu. Collectivement, ils se comportaient comme des coupables.

» Mais il est des degrés dans la culpabilité. J'ai donc soigneusement examiné les éléments dont je disposais pour tenter de déterminer si le meurtre — car c'est bien d'un *meurtre* qu'il s'agit — avait été commis par l'ensemble de la famille *agissant de concert selon un plan prémédité*.

» Il y avait, je peux bien le dire, un évident mobile à cela. Chacun aurait bénéficié de cette mort, tant au plan pécuniaire car tous obtenaient d'un coup l'indépendance financière et la jouissance d'une fortune plus que respectable — que dans le domaine personnel, dans la mesure où cette mort mettait fin à ce qui était devenu une tyrannie quasi insupportable.

» Cependant, en un mot comme en cent, j'ai presque immédiatement conclu que l'hypothèse d'un plan concerté ne tenait pas la route. Les versions des événements données par les différents membres de la famille Boynton ne concordaient pas et il était clair qu'ils n'étaient pas convenus entre eux d'un système efficace d'alibis. En outre, ce que je savais des faits me conduisait à penser que le meurtre n'était l'œuvre que d'un seul des membres de la famille — à la rigueur de deux —, les autres se comportant comme des complices a posteriori.

» Je me suis ensuite attaché à déterminer celui — ou ceux — des membres de la famille sur lequel — ou sur lesquels — je devais faire porter plus particulièrement mes efforts. Là, force m'est bien d'avouer que, compte tenu d'indices que j'étais seul à connaître, j'avais des préjugés.

Hercule Poirot narra alors à son auditoire la conversation qu'il avait surprise à Jérusalem.

— Tout naturellement, reprit-il, cela mettait Mr Raymond Boynton au premier rang des suspects. Après avoir observé la famille, je suis parvenu à la conclusion que la confidente de ses propos ne pouvait être que sa sœur Carol. Ils se ressemblent tant physiquement que moralement, ce qui crée entre eux un lien particulier, et ils partagent à la fois l'hyperémotivité et le tempérament rebelle qui me paraissent susceptibles de conduire à une action meurtrière. De surcroît, leur attitude altruiste — il ne s'agissait de rien moins, je vous le rappelle, que de la libération de la famille tout entière et, en particulier, de leur sœur cadette — ne faisait que contribuer à rendre leur implication plus vraisemblable.

Poirot marqua une longue pause.

Quant à Raymond Boynton, il ouvrit la bouche, puis la referma sans proférer un mot. Son regard défait, rivé sur Poirot, laissait à entendre qu'il souffrait mille morts.

— Avant d'en venir aux charges qui pèsent contre Raymond Boynton, reprit Poirot, je voudrais vous donner lecture d'une liste de points importants pour notre affaire, que j'ai dressée et soumise au colonel Carbury cet après-midi même :

Points importants

1. Mrs Boynton prenait une préparation à base de digitaline.

2. La seringue hypodermique du Dr Gérard avait disparu.

3. Mrs Boynton trouvait un vif plaisir à empêcher sa famille de se mêler à des inconnus.

4. L'après-midi de sa mort, Mrs Boynton a encouragé sa famille à partir et à la laisser seule.

5. Mrs Boynton souffrait de tendances sadiques.

6. Une distance de deux cents mètres (en gros) séparait la tente principale de l'endroit où Mrs Boynton était assise.

7. Mr Lennox Boynton a d'abord dit qu'il ignorait l'heure de son retour au camp, mais il a reconnu ensuite qu'il avait réglé la montre de sa mère.

8. Les tentes du Dr Gérard et de miss Ginevra Boynton étaient mitoyennes.

9. Au moment du dîner, à 18 h 30, un des serviteurs a été envoyé chercher Mrs Boynton.

10. A Jérusalem, Mrs Boynton avait prononcé cette phrase : « *Je n'oublie jamais rien. Rappelez-vous bien cela. Je n'ai jamais rien oublié.* »

— Même si je me suis donné la peine de numéroter les points en question, dit encore le détective, il n'est pas interdit d'y opérer certains rapprochements. C'est le cas des deux premiers, par exemple : *Mrs Boynton prenait une préparation à base de digitaline et la seringue hypodermique du Dr Gérard avait disparu.* Ce sont ces deux éléments qui, au début de mes investigations, m'ont le plus frappé, et je peux vous avouer que leur conjonction m'a paru tout à fait étonnante — pour ne pas dire contradictoire. Vous ne voyez pas ce que j'entends par là ? Aucune importance. J'y reviendrai bientôt. Qu'il nous suffise pour l'instant de noter qu'il va bien falloir leur trouver une explication satisfaisante.

» Je vais en terminer à présent avec la question de la culpabilité éventuelle de Raymond Boynton. D'abord les faits. On l'avait entendu discuter de la possibilité de supprimer Mrs Boynton. Il se trouvait dans un état de très grande tension nerveuse. Et, que miss King me pardonne (il s'inclina courtoisement en direction de la jeune femme), il venait de vivre un moment très intense sur le plan affectif. A savoir qu'il était tombé amoureux. L'exaltation de ses sentiments aurait pu le conduire à réagir d'un grand nombre de manières différentes. On peut imaginer qu'il ait vu la vie en rose et nourri pour chacun, y compris sa marâtre, de tendres sentiments — ou qu'au contraire il ait enfin trouvé le courage de la défier et de secouer le joug qu'elle lui imposait — ou, encore, que tout cela n'ait été que le catalyseur qui le pousserait à passer à l'acte. Mais cela relève de la psychologie ! Tenons-nous en aux *faits*.

» Raymond Boynton a quitté le camp avec les autres vers 15 h 15. A ce moment-là, Mrs Boynton était bien vivante. Il n'a pas fallu très longtemps pour que Raymond et Sarah King s'isolent en tête-à-tête. Soudain, il l'a quittée. A l'en croire, il est revenu au camp à 17 h 50. Il est monté voir « Mère », a échangé quelques mots avec elle, puis est passé par sa tente personnelle avant de se rendre à la tente commune. Il prétend qu'à 17 h 50, *Mrs Boynton était encore en vie*.

» Mais il nous faut maintenant prendre en compte un élément qui contredit du tout au tout cette assertion. A 18 h 30, un des serviteurs a découvert la mort de Mrs Boynton. Miss King, qui est interne en médecine, a examiné le cadavre et, quoiqu'elle n'ait pas accordé une attention particulière à l'heure à laquelle le décès avait pu survenir, elle jure ses grands dieux qu'il avait *indubitablement* eu lieu une heure (et probablement *bien davantage*) avant 18 heures.

» Nous nous trouvons, vous le constatez, face à deux témoignages contradictoires. Si nous laissons de côté l'éventualité que miss King ait commis une erreur...

— Je ne commets jamais d'erreur, coupa Sarah King d'une voix nette et posée. Ou plutôt, si cela m'arrivait, je le reconnaîtrais.

Poirot s'inclina avec courtoisie :

— Alors, il n'y a qu'une alternative : ou Mr Boynton a menti, ou bien c'est miss King ! Réfléchissons aux motifs qu'aurait pu avoir Raymond Boynton de le faire. Admettons que miss King ne se soit *pas* trompée et qu'elle n'ait *pas* menti. Quelle est, dès lors, la succession des événements ? Raymond Boynton revient au camp, va voir « Mère » assise à l'entrée de sa caverne et la trouve morte. Que fait-il ? Appelle-t-il à l'aide ? Informe-t-il chacun de ce qui s'est passé ? Non. Il attend une ou deux minutes, fait un détour par sa tente, rejoint sa famille dans la tente principale et *ne dit rien à personne*. Pareille conduite est plus qu'étrange, non ?

— Ç'aurait été complètement stupide, bien sûr,

intervint Raymond Boynton d'une voix qui tirait vers les aigus. Et ça devrait vous prouver que ma mère était bien vivante, comme je l'ai déclaré. Miss King était bouleversée, et elle s'est trompée.

Poirot balaya l'objection :

— Face à une telle conduite, on peut néanmoins se demander si elle n'obéirait pas à une raison logique. A y bien réfléchir — et à la lumière d'un tel fait —, il semblerait que Raymond Boynton *ne saurait être coupable* pour l'excellent motif qu'à l'unique moment où, à notre connaissance, il s'est approché de « Mère » cet après-midi-là, *elle était déjà morte depuis un bon bout de temps*. Seulement si nous admettons que Raymond Boynton est bel et bien innocent, pouvons-nous pour autant expliquer sa conduite ?

» Eh bien oui, je prétends que, dans l'hypothèse où il serait effectivement innocent, nous le pouvons très bien. Parce que je me souviens de ce que j'ai entendu à Jérusalem : « Tu vois bien qu'il faut la tuer, non ? » Il revient de sa promenade, la trouve morte et, instantanément, sa mémoire chargée de remords lui fait envisager une hypothèse grave : son plan a été mené à bien mais pas par lui : par sa complice. Bref, il soupçonne tout bonnement sa sœur, Carol Boynton, d'avoir fait le coup.

— Ce n'est pas vrai ! jeta Raymond d'une voix qui tremblait.

— Envisageons maintenant la possibilité, reprit Poirot, que Carol Boynton soit la meurtrière. Qu'avons-nous à son encontre ? Elle possède, comme son frère, un tempérament exalté — le genre de tempérament qui peut conduire à parer un meurtre des couleurs de l'héroïsme. Cette fameuse nuit, à Jérusalem, c'était à elle que Raymond Boynton parlait. Carol Boynton est revenue au camp à 17 h 10. Selon sa version, elle est montée parler à sa mère. Mais personne ne l'a vue. Le camp était désert. Les serviteurs étaient endormis. Lady Westholme, miss Pierce et Mr Cope étaient occupés à visiter des ruines, à quelque distance de là. Quoi qu'ait pu faire Carol Boynton, il n'y avait pas de témoin. Et la question temps ne pose pas de problème. Bref, Carol Boynton ferait une coupable des plus vraisemblables.

Poirot se tut. Carol avait relevé la tête et posait sur lui le regard de ses yeux figés dans leur tristesse.

— Nous disposons d'encore un élément, reprit Poirot. Le lendemain, au petit matin, Carol Boynton a été surprise en train de jeter quelque chose dans le torrent. Tout porte à croire qu'il s'agissait d'une seringue hypodermique.

— Comment ? s'exclama le Dr Gérard, stupéfait. Mais ma seringue m'avait été *rendue* ! A ce moment-là, elle était en ma possession !

Hercule Poirot hocha la tête avec vigueur :

— Eh oui, eh oui. C'est très curieux, cette seconde seringue et lourd d'enseignements. On m'a donné à entendre qu'elle appartenait à miss King. Est-ce exact ?

Sarah hésita une fraction de seconde.

— Elle n'appartenait pas à miss King, s'écria précipitamment Carol. Elle était à moi.

— Vous reconnaissez l'avoir jetée, mademoiselle ?

— Mais... euh... Oui, bien sûr.. Pourquoi ne l'aurais-je pas fait ?

— Carol !

Dressée, les yeux écarquillés, Nadine avait presque crié. Elle répéta :

— Carol ! Je... oh, je ne comprends pas...

Carol se tourna vers sa belle-sœur. Dans ses yeux brillait une petite flamme hostile :

— Il n'y a *rien* à comprendre ! J'ai jeté une vieille seringue, d'accord. Mais je n'ai jamais touché au... au poison.

La voix de Sarah coupa court à l'échange :

— Ce que vous a dit miss Pierce est parfaitement exact, monsieur Poirot. C'était *ma* seringue.

Poirot esquissa un petit sourire :

— Elle est bien confuse et embrouillée, cette histoire de seringues — et pourtant, je crois qu'on peut lui trouver une explication. Enfin, bref, nous avons déjà pour ainsi dire réglé deux cas — celui de l'innocence de Raymond Boynton — et celui de la culpabilité de sa sœur Carol. Mais, moi, voyez-vous, je suis un maniaque de l'équité. J'envisage toujours les problèmes sous leurs divers aspects. Examinons donc ce qui aurait pu se passer si Carol Boynton était innocente.

» Elle revient au camp, grimpe voir sa mère et la trouve morte. Que va-t-elle immédiatement penser ? Elle va se dire que c'est son frère Raymond qui l'a tuée. Elle ne sait pas quoi faire. Alors, elle ne dit rien. Une heure plus tard, Raymond revient et, alors qu'il est censé avoir parlé à sa mère, *il ne dit pas qu'il y a quelque chose qui cloche.* Comment les soupçons de Carol ne deviendraient-ils pas des certitudes ? Peut-être fait-elle un saut jusqu'à la tente de son frère et y trouve-t-elle une seringue. Et alors là, évidemment, elle ne *doute plus*. Elle s'en empare et la cache. Et, au petit matin, elle la jette le plus loin possible.

» Il existe un indice supplémentaire de l'innocence de Carol Boynton. Quand je l'interroge, elle me donne l'assurance que ni son frère ni elle n'ont jamais eu sérieusement l'intention de mettre leur plan à exécution. Je lui demande de le jurer — et elle me jure immédiatement, et très solennellement, qu'elle n'est pas coupable ! C'est ainsi qu'elle s'exprime, voyez-vous. Elle ne me jure pas qu'*ils* ne sont pas coupables. Elle jure *pour elle-même*, pas pour son frère — et elle pense que je n'accorderai pas une attention particulière au pronom qu'elle emploie.

» C.Q.F.D. Autrement dit, voilà démontrée l'innocence de Carol Boynton. Et maintenant, retournons en arrière et considérons, non l'innocence mais la culpabilité éventuelle de Raymond. Prenons comme hypothèse que Carol a dit la vérité et que Mrs Boynton était encore vivante à 17 h 10. Ceci posé, comment Raymond a-t-il pu commettre le crime ? Nous pouvons imaginer qu'il a tué sa mère à 17 h 50, quand il est allé lui parler. Il est vrai que les serviteurs avaient recommencé de circuler dans le camp, mais la lumière baissait. C'était faisable mais il s'ensuit nécessairement que miss King a menti. Rappelons-nous qu'elle n'est rentrée au camp que cinq minutes après Raymond. Même à distance, elle a pu le voir monter auprès de sa mère. Alors, quand, plus tard, elle constate le décès, miss King comprend que *c'est Raymond qui l'a tuée* et, pour le sauver, elle ment — sachant parfaitement que le Dr Gérard est en pleine crise de paludisme et ne peut donc dénoncer son mensonge !

— Je n'ai *pas* menti ! martela Sarah, vibrante.

— Il y a encore une autre possibilité. Miss King, comme je viens de vous le rappeler, est revenue au camp quelques minutes après Raymond. Si Raymond a bien trouvé sa mère encore vivante, c'est peut-être *miss King* qui a administré la piqûre fatale. Elle jugeait que Mrs Boynton était le mal incarné. Elle a pu se prendre pour un redresseur de torts. Cela expliquerait en outre son mensonge quant à l'heure véritable du décès.

Sarah avait blêmi :

— Il est exact, reconnut-elle d'une voix basse et posée, que j'ai évoqué avec le Dr Gérard l'idée selon laquelle le sacrifice d'un seul pouvait être salutaire — voire *nécessaire* — pour le bien-être de la communauté. C'est le Lieu du Sacrifice qui m'avait suggéré cette pensée. Mais je peux vous jurer que je n'ai jamais touché à un seul cheveu de la tête de cette dégoûtante vieille bonne femme — et que l'idée ne m'en est jamais venue !

— Et pourtant, remarqua doucement Poirot, il *faut bien* que l'un de vous deux *mente*.

Raymond Boynton s'agita sur sa chaise :

— Vous avez gagné, monsieur Poirot ! s'écria-t-il avec feu. C'est moi, le menteur. Mère était déjà morte quand je suis arrivé près d'elle. J'en suis resté comme deux ronds de flan. Je comptais régler les choses avec elle une bonne fois pour toutes. Lui dire que, désormais, j'étais libre, je prenais ma vie en main. Je... j'étais décidé, vous comprenez ? Et elle, elle était là — morte ! La main froide et flasque. Alors j'ai pensé... ce que vous avez dit. J'ai pensé que Carol... vous comprenez, il y avait cette marque à son poignet...

— C'est justement un point sur lequel je suis incomplètement renseigné, l'interrompit Poirot. Quelle est la méthode que vous comptiez employer ? Car vous aviez bel et bien envisagé une méthode — et elle comportait en tout cas l'emploi d'une seringue. Ça, j'en suis sûr. Alors, si vous voulez que je vous croie, il faut me dire le reste.

— J'avais trouvé ça dans un livre, balbutia Raymond. Un roman policier anglais. Il suffit de faire à quelqu'un une intraveineuse avec une seringue vide et le tour est joué. Ça avait l'air parfaitement scientifique. Et je... je m'étais dit qu'on ferait comme ça.

— Ah, dit Poirot, je saisis tout. Et vous avez acheté une seringue ?

— Non. En fait, j'ai subtilisé celle de Nadine.

Poirot lança un bref coup d'œil à la jeune femme :

— La fameuse seringue si opportunément restée dans vos bagages à Jérusalem ?

Le visage de la jeune femme se colora quelque peu :

— Je... je ne savais pas ce qu'elle avait bien pu devenir.

— Vous ne manquez pas de présence d'esprit, madame, répliqua Hercule Poirot.

16

Chacun méditait en silence.

S'étant éclairci la voix avec une pointe d'affectation, Poirot reprit le fil de son exposé :

— Nous avons donc résolu ce que j'appellerais volontiers *le mystère de la seringue n° 2*. Elle appartenait à Mrs Lennox Boynton, a été dérobée par Raymond Boynton avant le départ de Jérusalem, subtilisée à Raymond par Carol après la découverte du cadavre de Mrs Boynton, jetée dans le torrent par la même Carol, retrouvée par miss Pierce et réclamée comme étant sa propriété par miss King. J'imagine que c'est toujours miss King qui l'a en sa possession.

— C'est moi qui l'ai, confirma Sarah.

— Par conséquent, quand vous nous avez dit, il y a peu, qu'elle était à vous, vous commettiez ce que vous nous avez affirmé ne jamais faire. Bref, vous avez proféré un gros mensonge.

Sarah King ne perdit pas son sang-froid :

— C'était un mensonge d'un autre ordre. Ce n'était pas... ce n'était pas un mensonge au plan *professionnel*.

Le Dr Gérard hocha la tête :

— Vous avez raison. Je vous comprends parfaitement, mademoiselle.

Une nouvelle fois, Poirot se racla la gorge :

— Revenons-en à notre chronologie. Elle se présente ainsi :

Les Boynton et Jefferson Cope quittent le camp : 15 h 05 (env.)

Le Dr Gérard et Sarah King quittent le camp : 15 h 15 (env.)

Lady Westholme et miss Pierce quittent le camp : 16 h 15

Le Dr Gérard revient au camp : 16 h 20 (env.)

Lennox Boynton revient au camp : 16 h 35

Nadine Boynton revient au camp et parle avec Mrs Boynton : 16 h 40

Nadine Boynton abandonne sa belle-mère et se rend dans la grande tente : 16 h 50 (env.)

Carol Boynton revient au camp : 17 h 10

Lady Westholme, miss Pierce et Mr Jefferson Cope reviennent au camp : 17 h 40

Raymond Boynton revient au camp : 17 h 50

Sarah King revient au camp : 18 h 00

Le cadavre est découvert : 18 h 30

— Vous noterez qu'il existe un trou de vingt minutes entre 16 h 50, heure à laquelle Nadine Boynton quitte sa belle-mère, et 17 h 10, heure du retour de Carol. Donc, si Carol a dit vrai, Mrs Boynton doit avoir été tuée pendant ces vingt minutes.

» Mais qui peut bien l'avoir tuée ? A ce moment-là, miss King et Raymond Boynton sont en train de se conter fleurette. Mr Cope (qui n'a aucun mobile apparent pour tuer) dispose d'un alibi. Il se trouve avec lady Westholme et miss Pierce. Lennox Boynton et sa femme sont dans la tente principale. Et le Dr Gérard, couché sur son lit de douleurs, grelotte de fièvre. Le camp est désert. Tous les serviteurs sont endormis. Pour un crime, l'instant est propice ! Y avait-il donc quelqu'un qui aurait pu le commettre ?

Pensif, son regard s'en fut se poser sur Ginevra Boynton :

— *Il y avait effectivement quelqu'un.* Ginevra Boynton a passé tout l'après-midi dans sa tente. C'est du moins ce qu'on nous a prétendu. Mais il existe en fait deux éléments qui indiquent qu'elle n'est *pas* restée tout ce temps dans sa tente. Ginevra Boynton a fait une remarque très significative. Elle a dit que le Dr Gérard prononçait son nom dans son sommeil. Et, de son côté, le Dr Gérard a déclaré que, dans sa fièvre, il avait rêvé du visage de Ginevra Boynton. Seulement ce n'était pas un rêve ! C'était bel et bien la jeune fille qu'il avait vue, debout près de son lit. Il a cru à un effet du délire paludique... alors qu'il s'agissait tout bonnement de la réalité. Ginevra était dans sa tente. N'est-il pas envisageable qu'elle y soit venue pour remettre en place la seringue après l'avoir utilisée ?

Ginevra Boynton releva lentement sa tête couronnée de cheveux roux. Ses yeux immenses, fascinants, fixaient Poirot. Mais ils étaient étrangement dépourvus d'expression. On eût dit le regard d'une sainte sulpicienne.

— Ah, ça non, par exemple ! s'écria le Dr Gérard.

— Ce serait donc psychologiquement inconcevable ? s'enquit Poirot.

Le médecin baissa le regard.

— C'est rigoureusement impossible ! lança Nadine Boynton d'une voix âpre.

Poirot pivota dans sa direction :

— Impossible, madame ?

— Oui. Je...

Elle s'interrompit, se mordit la lèvre et reprit :

— Je ne peux pas laisser passer une accusation aussi odieuse contre ma belle-sœur. Nous — nous tous — savons que c'est impossible.

Ginevra s'agita un peu sur sa chaise. Ses lèvres se détendirent dans un sourire — le sourire émouvant, innocent, d'une très jeune fille.

— Impossible, répéta Nadine.

Son doux visage exprimait désormais la plus farouche détermination. Elle croisa le regard de Poirot et ne cilla pas.

Poirot se fendit d'une brève courbette :

— Vous êtes très intelligente, madame.

— Qu'entendez-vous par là, monsieur Poirot ?

— J'entends par là, madame, que je ne cesse de constater que vous possédez ce que j'oserai qualifier de « tête bien faite ».

— Vous me flattez.

— Point du tout. Depuis le début vous avez envisagé les événements avec calme, du seul point de vue de l'intérêt commun. Vous étiez apparemment demeurée en bons termes avec la mère de votre mari, car vous estimiez que c'était la meilleure ligne de conduite — mais, au fond de vous-même, vous l'aviez jugée... et condamnée. Depuis quelque temps, vous aviez compris que, pour votre mari, la seule chance de bonheur consistait à prendre sur lui de quitter la maison et de voler enfin de ses propres ailes, aussi difficile et précaire que puisse être la vie que cela entraînerait. Vous étiez disposée à courir tous les risques, et vous vous êtes efforcée de l'amener à agir dans ce sens. Mais vous avez échoué, madame. Lennox Boynton avait perdu *jusqu'au désir de liberté*. Il s'était laissé sombrer dans l'apathie et la dépression.

» Je ne doute pas un instant, madame, que vous aimiez votre mari. Votre décision de le quitter n'était nullement motivée par un amour plus fort pour un autre homme. C'était, me semble-t-il, une tentative de la dernière chance. Dans la situation où vous vous trouviez, une femme n'a que trois solutions. Elle peut essayer d'influencer son mari. Là, je l'ai dit, vous avez échoué. Elle peut menacer de s'en aller, mais on peut se demander si une telle menace aurait suffi à émouvoir Lennox Boynton. Cela l'aurait encore davantage enfoncé dans sa mélancolie, mais ne l'aurait pas pour autant poussé à la rébellion. Il ne vous restait plus que l'éventualité d'un geste désespéré : *partir avec un autre homme*. Jalousie et instinct de possession sont très profondément ancrés dans le tréfonds de l'âme humaine. Et vous avez démontré votre clairvoyance en tentant de faire appel à ce qu'il peut y avoir de primitif au fond de chacun d'entre nous. Si Lennox Boynton vous laissait partir avec un autre homme sans réagir, c'est qu'il était irrémédiablement perdu et que vous n'aviez plus qu'à refaire votre vie ailleurs.

» Mais supposons que même ce remède héroïque ait échoué. Que votre mari, si bouleversé soit-il, n'ait pas, contrairement à ce que vous aviez espéré, réagi comme un homme primitif en proie à la violence de son instinct de possession. Y avait-il une solution pour le tirer d'une dépression qui s'aggravait rapidement ? Il n'y en avait qu'une. *Si votre belle-mère mourait*, peut-être ne serait-il pas trop tard. Il pourrait recommencer son existence à zéro, en toute liberté, découvrir son autonomie, se conduire enfin comme un homme...

Hercule Poirot se tut. Puis il répéta, à voix basse :

— Si votre belle-mère mourait...

Nadine ne l'avait pas lâché des yeux.

— Vous êtes en train de suggérer, dit-elle sans s'émouvoir, que j'ai *aidé* ma belle-mère à décéder prématurément, n'est-ce pas ? Mais votre assertion ne tient pas, monsieur Poirot. Après lui avoir annoncé la nouvelle de mon départ imminent, je suis descendue directement à la tente principale où j'ai retrouvé Lennox. Et je n'en ai plus bougé jusqu'à la nouvelle de la mort de ma belle-mère. Coupable de sa mort, sans doute le suis-je dans la mesure où je lui ai causé un choc — ce qui, bien entendu, présuppose qu'elle soit morte de sa belle mort. En revanche, si elle a été assassinée comme vous le prétendez (sans la moindre preuve, d'ailleurs — or une preuve éventuelle vous n'en aurez pas tant qu'une autopsie n'aura pas été pratiquée), je n'ai pas eu, *moi*, d'occasion de la tuer.

— Vous venez de nous dire, madame, remarqua Poirot, que vous n'avez pas quitté la tente principale avant l'annonce de cette mort. Eh bien, voyez-vous, c'est justement l'un des points qui m'ont paru étonnants dans cette affaire.

— Que voulez-vous dire ?

— Cela figure dans mon aide-mémoire. C'est le point 9. A 18 h 30, quand le dîner a été servi, un des serviteurs a été envoyé chercher Mrs Boynton.

— Je ne comprends pas, murmura Raymond.

— Moi non plus, dit Carol.

Du regard, Poirot passa en revue les Boynton :

— Vous ne comprenez pas, hein ? « Un des serviteurs a été envoyé »... Pourquoi un *serviteur* ? N'étiez-vous pas, tous, assidus en permanence auprès de la défunte ? L'un ou l'autre d'entre vous ne l'escortait-il pas toujours jusqu'à la table ? Elle était impotente. Il lui était difficile de se lever sans aide de son fauteuil. L'un de vous se trouvait toujours à son côté. Ce que je tiens à souligner c'est que, le dîner étant prêt, il aurait été naturel que l'un des membres de la famille aille l'aider. Mais aucun de vous ne s'est proposé. Vous êtes tous restés plantés là, paralysés, à vous épier l'un l'autre — à vous demander, peut-être, pourquoi personne ne bougeait.

— Quel tissu d'absurdités, monsieur Poirot ! se récria Nadine d'un ton sec. Nous étions tous fatigués, ce soir-là. Nous aurions dû y aller, je le reconnais. Mais... ce soir-là, nous ne l'avons tout bonnement pas fait !

— Nous y voilà, nous y voilà... *Ce soir-là, précisément !* Vous, madame, vous vous êtes sans doute occupée d'elle plus que qui que ce soit. Cela faisait partie de ces tâches que vous accomplissiez comme sans y penser. Et pourtant, ce fameux soir, vous n'avez pas proposé d'aller l'aider à descendre dîner. Pourquoi ? C'est la question que je me suis posée : pourquoi ? Et je vais vous donner ma réponse : *parce que vous saviez parfaitement qu'elle était morte...*

» Non, non, madame, ne m'interrompez pas ! (Il leva une main impérieuse.) Vous allez m'écouter — moi, Hercule Poirot ! Votre entretien avec votre belle-mère a eu des témoins, certes. Mais des témoins qui ne pouvaient que *voir*, et non pas *entendre* ! Lady Westholme et miss Pierce se trouvaient à bonne distance. Elles vous ont vue *apparemment* en train de parler avec votre belle-mère, mais quelle preuve y a-t-il que cette conversation ait bien eu lieu ? Je vais vous soumettre une petite théorie. Vous êtes intelligente, madame. Si, à votre manière calme et pondérée, vous êtes parvenue à la conclusion qu'il fallait... disons *éliminer* la mère de votre mari, vous avez mûrement réfléchi à la question et élaboré une stratégie adéquate. Vous avez eu accès toute la matinée à la tente du Dr Gérard qui est parti en excursion. Vous avez la quasi-certitude de trouver dans sa trousse un toxique qui convienne. Vos études d'infirmière vous aident en l'occurrence. Vous choisissez la digitoxine, qui appartient au même groupe que le médicament que prend votre belle-mère — et vous vous emparez aussi de sa seringue puisque la vôtre, à votre grand déplaisir, a disparu. Et vous pensez pouvoir remettre cette seringue en place avant même que le docteur ne s'aperçoive de son absence.

» Avant de mettre votre plan à exécution, vous faites une ultime tentative pour secouer votre mari. Vous lui faites part de votre intention d'épouser Jefferson Cope. Votre mari a beau être aux cent coups, il ne réagit pas comme vous l'aviez espéré et il ne vous reste plus qu'à commettre le meurtre que vous avez prémédité. Vous retournez au camp et, au passage, vous échangez quelques mots aimables avec lady Westholme et miss Pierce. Vous montez rejoindre votre belle-mère. La seringue, remplie de digitoxine, est toute prête. Vous n'avez aucune peine à saisir le poignet de la vieille dame et, adroite comme vous l'êtes — toujours votre formation d'infirmière —, vous enfoncez l'aiguille. La besogne est achevée avant même que votre belle-mère n'ait eu le temps de comprendre ce qui se passe. Pour les témoins qui se trouvent au loin, dans la vallée, vous êtes en train de lui parler, vous vous penchez sur elle avec sollicitude. Puis vous allez tout tranquillement chercher un fauteuil et vous vous lancez dans ce qui peut passer pour une conversation affectueuse. La mort a dû survenir presque instantanément. C'est à une morte que vous faites semblant de parler, mais qui pourrait le deviner ? Ensuite de quoi vous remettez le fauteuil dans votre caverne et vous gagnez la tente principale où vous trouvez votre mari en train de lire. Et vous vous gardez bien d'en bouger ! La mort de Mrs Boynton, vous en êtes convaincue, sera attribuée à un malaise cardiaque. (Ce sera d'ailleurs *effectivement* le cas.) Un seul des éléments de votre plan ne fonctionne pas. Vous ne pouvez remettre la seringue en place dans la tente du Dr Gérard car il s'y trouve, tremblant de fièvre..., et, bien que vous ne le sachiez pas, *il s'est déjà aperçu de la disparition de la seringue*. Cela, madame, c'est le seul point faible dans ce qui aurait pu, par ailleurs, constituer un crime parfait.

Un silence de mort tomba sur l'assistance. Alors Lennox Boynton se dressa de tout son haut :

— Non ! s'écria-t-il. C'est un mensonge éhonté ! Nadine n'a rien fait. Elle n'aurait d'ailleurs rien pu faire. Ma mère... ma mère était déjà morte.

— Tiens donc ? dit Poirot en le regardant bien en face. Ainsi, après tout, c'est vous qui l'avez tuée, Mr Boynton ?

Il y eut un nouveau silence. Puis Lennox se tassa sur sa chaise et couvrit son visage de ses mains tremblantes :

— Oui... c'est vrai... c'est moi qui l'ai tuée...

— C'est vous qui avez subtilisé la digitoxine dans la tente du Dr Gérard ?

— Oui.

— Quand ?

— Mais... comme vous l'avez dit... au cours de la matinée.

— Et la seringue ?

— La seringue ? Oui, c'est moi aussi.

— Pourquoi l'avez-vous tuée ?

— A quoi bon cette question ?

— *Je vous la pose*, Mr Boynton !...

— Mais vous le savez... ma femme allait me quitter... pour partir avec Cope...

— Oui. Mais cela, vous ne l'avez appris que *dans l'après-midi*.

Lennox le regarda sans comprendre :

— Bien sûr. Pendant la promenade.

— Et vous, vous avez subtilisé la seringue et le poison au *cours de la matinée* — *avant* de savoir ?

— Pourquoi diable me harcelez-vous avec toutes vos questions ?

Lennox s'interrompit et passa sur son front une main qui tremblait, puis, à voix basse :

— Quelle importance, après tout ?

— C'est d'une extrême importance. Je vous conseille, Mr Lennox Boynton, de me dire la vérité.

— La vérité ? fit Lennox, toujours sans comprendre.

— Je ne me répéterai pas. La vérité.

— Bon Dieu, je vais vous la dire ! éclata Lennox. Mais je ne sais pas si vous allez me croire.

Il respira à fond, comme un plongeur qui remonte à la surface :

— Cet après-midi-là, après que Nadine m'a signifié ses intentions, j'étais anéanti. Jamais je n'aurais imaginé qu'elle pourrait me quitter pour un autre. J'étais... j'étais à moitié fou ! C'était comme si j'étais saoul, ou dans une sorte de coma.

Poirot hocha la tête :

— J'ai prêté une attention particulière à la description que lady Westholme a fait de votre allure quand vous êtes passé devant elle. C'est pourquoi je sais que votre femme me mentait quand elle disait qu'elle vous avait fait part de ses intentions après que vous étiez tous les deux revenus au camp. Continuez, Mr Boynton.

— Je ne savais plus ce que je faisais... Mais plus je m'approchais, plus le jour se faisait dans mon cerveau. En un éclair, j'ai compris que je ne devais m'en prendre qu'à moi ! Que je m'étais toujours conduit comme une pantoufle ! J'aurais dû tenir tête à cette mégère, et ficher le camp depuis des années. Et puis je me suis dit que, même maintenant, il n'était peut-être pas trop tard. Elle était là, la vieille garce, assise dans son coin, comme une idole de malheur devant les falaises rouges. J'y suis monté d'un trait pour mettre les choses au net. Je voulais lui dire que j'avais décidé de débarrasser le plancher. Je m'étais fourré dans le crâne que je pourrais partir tout de suite, le soir même... m'enfuir avec Nadine et peut-être aller jusqu'à Ma'am dans la nuit.

— Oh, Lennox... mon chéri...

Ç'avait été un long, un doux soupir.

— Et puis, oh mon Dieu..., reprit-il. J'ai cru tomber à la renverse ! Elle était morte. Assise là — et morte... Je... je ne savais pas quoi faire... j'étais ahuri... épouvanté... tout ce que j'avais eu l'intention de lui jeter à la tête m'étouffait... m'enserrait comme une gangue de plomb... Je... je ne peux pas vous dire... En pierre — c'était comme ça que je me sentais : changé en pierre. J'ai fait machinalement quelque chose... j'ai pris sa montre-bracelet — elle était posée sur ses genoux — et je l'ai remise à son poignet... cet affreux poignet inerte...

Un frisson le secoua :

— Seigneur ! C'était atroce... Alors j'ai titubé jusqu'à la tente principale. J'aurais dû appeler, je ne sais pas... mais je n'ai pas pu. Je suis resté assis là, à tourner les pages d'un livre et à attendre...

Il s'interrompit, reprit encore :

— Vous ne me croirez pas — comment le pourriez-vous ? Pourquoi n'ai-je appelé personne ? Pourquoi n'ai-je rien dit à Nadine ? Je n'en sais rien.

Le Dr Gérard s'éclaircit la gorge :

— Ce que vous venez de nous dire, Mr Boynton, est parfaitement plausible. Vous aviez les nerfs en piteux état. Deux chocs aussi rudes que ceux que vous veniez d'encaisser auraient mis n'importe qui dans l'état que vous nous avez décrit. C'est la réaction de Weissenhalter — celle qu'éprouve l'oiseau qui s'est heurté contre une vitre. Même quand il a récupéré, il ne bouge pas. Instinctivement, il donne à son système nerveux le temps de revenir à la normale. J'ai quelque peine à m'exprimer en anglais, mais je peux vous l'affirmer : *vous n'auriez pas pu agir autrement que vous l'avez fait*. Vous étiez rigoureusement incapable de toute décision ! Vous traversiez une phase de paralysie mentale.

Le médecin se tourna vers Poirot :

— Je vous assure, mon cher, que c'est bien ainsi que cela s'est passé.

— Oh, je n'en doute pas, répliqua le détective. J'avais déjà pris bonne note d'un petit fait — le fait que Mr Boynton avait remis en place la montre de sa mère. Et j'en avais tiré deux conclusions : soit ce geste camouflait le meurtre proprement dit, soit il avait été observé, et mal interprété, par Mrs Boynton. Rappelons-nous qu'elle n'est revenue au camp que cinq minutes après son mari. Elle doit donc l'avoir vu, ce geste. Quand elle est arrivée auprès de sa belle-mère et qu'elle l'a trouvée morte avec, au poignet, la marque d'une aiguille hypodermique, elle en a tout naturellement tiré la conclusion que son mari était passé à l'acte... que l'annonce de sa décision de le quitter avait produit des réactions différentes de ce qu'elle avait espéré. En bref, Nadine Boynton a cru qu'elle avait involontairement poussé son mari à commettre un meurtre.

Il se tourna vers elle :

— N'est-ce pas le cas, madame ?...

Nadine acquiesça de la tête. Puis elle s'enquit :

— M'avez-vous *vraiment* soupçonnée, monsieur Poirot ?

— Je vous considérais, madame, comme un coupable possible.

Elle se pencha en avant :

— Et maintenant ? *Que s'est-il réellement passé, monsieur Poirot ?*

17

— Oui, que s'est-il réellement passé ? répéta Poirot.

Il attrapa une chaise derrière lui et s'y assit. Son attitude était maintenant dégagée, presque amicale :

— C'est bien là toute la question, n'est-ce pas ? Car la digitoxine *a bel et bien été volée* — la seringue *a bel et bien disparu* — et il y avait *bel et bien la marque d'une piqûre* sur le poignet de Mrs Boynton.

» Il est vrai que nous saurons dans quelques jours, sans contestation possible — l'autopsie nous le dira —, si Mrs Boynton a succombé ou non à une surdose de digitaline. Mais il sera peut-être alors trop tard ! Il vaudrait mieux parvenir à la vérité ce soir — pendant que nous avons encore le meurtrier à portée de la main.

Nadine Boynton releva brusquement la tête :

— Vous voulez dire que vous croyez toujours que... que c'est l'un d'entre nous... ici, dans cette pièce...

Sa voix se brisa.

Apparemment perdu dans ses pensées, Poirot dodelinait doucement de la tête :

— La vérité, toute la vérité, c'est ce que j'ai promis au colonel Carbury. C'est pourquoi, après avoir déblayé le terrain, nous en revenons au point où je me trouvais un peu plus tôt dans la journée, quand j'ai dressé la liste des données les plus significatives et que je me suis trouvé face à deux éclatantes contradictions.

Le colonel, qui n'avait pas soufflé mot depuis sa mise au point du début, n'y tint plus :

— Et si vous escamotiez la sauce et que vous vous décidiez à nous dire tout bêtement de quoi il s'agit ?

— J'y viens, répliqua Poirot d'un air de dignité douloureusement offensée. Nous allons reprendre une fois encore les deux premiers points qui figurent sur mon aide-mémoire : *Mrs Boynton prenait une préparation à base de digitaline et la seringue hypodermique du Dr Gérard avait disparu.* Prenons ces deux éléments et mettons-les en équation avec ce fait incontestable — auquel je me suis trouvé confronté dès le début — qui est que la famille Boynton n'a cessé de manifester des symptômes évidents de culpabilité. A croire que c'était *forcément* l'un des membres de la famille qui avait commis le crime ! Et cependant les deux éléments auxquels j'ai fait allusion allaient à *l'encontre* de cette hypothèse. Car, voyez-vous, avoir recours à une solution concentrée de digitaline, ça, oui, c'était une idée géniale puisque Mrs Boynton en prenait régulièrement. Mais qu'aurait fait un membre de la famille ? Ma foi, la seule chose sensée en l'occurrence : il aurait mis le poison *dans le flacon contenant la préparation* ! C'est ce que quiconque, doté de deux doigts de bon sens *et qui aurait eu accès à la préparation*, aurait immanquablement fait !

» Tôt ou tard, Mrs Boynton en aurait pris une dose et serait morte — et même si, à l'analyse, on trouvait de la digitoxine dans le flacon, on conclurait à une erreur du pharmacien. Et on ne pourrait rien prouver !

» Pourquoi, dès lors, *le vol de la seringue hypodermique* ?

» Je n'y vois, pour ma part, que deux explications possibles. La première, c'est que le Dr Gérard s'est trompé, et que la seringue n'a jamais été "emprun- tée". La seconde, c'est que la seringue a été volée parce que le meurtrier n'avait pas accès au flacon contenant la préparation que prenait Mrs Boynton — en d'autres termes, que le meurtrier n'appartenait pas à la famille Boynton. Autrement dit, ces deux premiers éléments indiquent à l'évidence que le crime a été commis par quelqu'un d'*extérieur* à la famille !

» Ça, je l'avais compris — mais je n'en demeurais pas moins troublé, je l'ai dit, par les signes de culpa- bilité que manifestait la famille Boynton. Etait-il possible qu'*en dépit de ce sentiment de culpabilité*, la famille Boynton soit *innocente* ? Je me suis donc attaché à démontrer, non la culpabilité, mais l'inno- cence de ces gens !

» Et c'est ici que nous en sommes. Le meurtre a été commis par quelqu'un de l'extérieur — *c'est- à-dire par quelqu'un qui n'était pas suffisamment proche de Mrs Boynton pour pouvoir entrer dans sa caverne ou pour manipuler le flacon contenant sa préparation.*

Il marqua un temps.

— Dans cette pièce, reprit-il, se trouvent trois personnes qui, à proprement parler, n'appartiennent pas au cercle de la famille, mais qui n'en sont pas moins intimement mêlées à l'affaire.

» Mr Cope, dont nous étudierons le cas en premier, fait partie des proches des Boynton depuis pas mal de temps. En ce qui le concerne, sommes-nous en mesure de découvrir un mobile ou une occasion de tuer ? Il semble que non. La mort de Mrs Boynton a eu sur son existence des effets négatifs dans la mesure où elle a sonné pour lui le glas de certains espoirs. Sauf à imaginer que Mr Cope ait été mu par un altruisme fanatique, nous ne lui voyons aucune raison d'attenter à la vie de Mrs Boynton. (A moins, bien entendu, qu'il n'existe un mobile dont nous ignorons tout. Nous ne savons rien d'affaires qui auraient pu être négociées entre Mr Cope et la famille Boynton.)

— Je crois que vous allez un peu loin, monsieur Poirot, dit Mr Cope, très digne. Rappelez-vous que je n'ai eu, à aucun moment, la possibilité matérielle de tuer Mrs Boynton. Et que, par surcroît, j'ai des vues très arrêtées sur le caractère sacré de la personne humaine.

— Votre position, répliqua Poirot sans sourire, me paraît à coup sûr irréprochable. Si nous étions dans la fiction, cela constituerait une raison impérative de vous soupçonner...

Il fit pivoter sa chaise d'un cran :

— Venons-en maintenant à miss King. Elle est assez bien lotie au plan du mobile, elle possède les connaissances médicales requises, c'est une femme de caractère et de décision. Mais comme elle a quitté le camp avec les autres avant 15 h 30 et qu'elle n'y est pas revenue avant 18 heures, on ne voit pas très bien quand elle aurait pu trouver l'occasion de tuer.

» Passons à présent au Dr Gérard. Là, il nous faut

prendre en compte l'heure exacte à laquelle le meurtre a été commis. Selon les dernières déclarations de Mr Lennox Boynton, sa mère était déjà morte à 16 h 35. Et selon lady Westholme et miss Pierce, Mrs Boynton était encore en vie à 16 h 15, quand elles sont parties en promenade. Ce qui laisse un blanc de *vingt minutes,* très précisément. Or, au moment où ces deux dames *s'éloignent* du camp, elles croisent le Dr Gérard, qui y revient. Rien ne nous dit quels ont été *les faits et gestes du Dr Gérard quand il est arrivé au camp,* car nos deux dames lui tournaient le dos. Elles *s'éloignaient.* Par conséquent, *il est parfaitement possible que ce soit le Dr Gérard qui ait commis le crime.* En tant que médecin, il pouvait aisément simuler une crise de paludisme. Et j'irai jusqu'à prétendre qu'il avait un mobile vraisemblable. Le Dr Gérard pouvait vouloir sauver une personne dont la raison (perte autrement plus grave que celle de la vie) était en danger. A ses yeux, le sacrifice d'une vieille femme qui avait fait son temps se justifiait pleinement.

— Vous êtes en train de sombrer dans le délire, mon cher ! s'écria le Dr Gérard.

Poirot ne tint nul compte de cette interruption.

— Cependant, si tel était bien le cas, poursuivit-il, impavide, *pourquoi le Dr Gérard a-t-il attiré l'attention sur l'éventualité d'un coup fourré ?* Il est évident que, sans ses déclarations au colonel Carbury, la mort de Mrs Boynton aurait été attribuée à des causes naturelles. C'est *le Dr Gérard* qui, le premier, a soulevé la question du meurtre. Ça, mes amis, ça n'a pas de sens !

— Il pleut des vérités premières, grommela le colonel.

— Il nous reste encore une possibilité, reprit Poirot. Mrs Lennox Boynton s'est élevée avec la dernière énergie contre l'hypothèse selon laquelle sa belle-sœur Ginevra pourrait être coupable. Ses objections reposaient sur le fait qu'elle savait que sa belle-mère était déjà morte. Mais rappelez-vous que Ginevra

Boynton a passé tout l'après-midi au camp. Et il y a eu un moment — entre le départ de lady Westholme et de miss Pierce, et le retour du Dr Gérard...

Ginevra s'agita. Elle se pencha en avant et fixa Poirot d'un regard étrange, naïf et stupéfait :

— C'est *moi* qui l'ai fait ? Vous pensez que c'est moi qui l'ai fait ?

Puis soudain, dans un envol d'une étonnante harmonie, elle courut se jeter aux pieds du Dr Gérard, lui entoura les genoux de ses bras, riva passionnément ses yeux aux siens :

— Non, non, ne les laissez pas dire ça ! Ils dressent encore une fois des murailles autour de moi ! Ce n'est pas vrai ! Je n'ai jamais rien fait ! Ce sont mes ennemis... ils veulent m'emprisonner... me cloîtrer. Il *faut* que vous m'aidiez. *Vous* — oh, *vous* —, je vous supplie de m'aider !

— Allons, allons, mon petit.

Le médecin lui tapota doucement la tête. Puis il s'en prit à Poirot :

— Ce que vous dites est grotesque... ça ne tient pas debout.

— Folie de la persécution ? murmura tout bas le détective.

— Oui. Mais elle n'aurait jamais pu s'y prendre comme ça. Elle l'aurait fait, vous devez bien vous en rendre compte, de manière *spectaculaire*, dramatique — un poignard — quelque chose de flamboyant — jamais avec cette logique froide et réfléchie ! Mes amis, je vous le dis : nous avons affaire à un meurtre pensé. Au crime d'un être parfaitement sain d'esprit.

Poirot sourit et, à la surprise générale, se fendit d'une profonde courbette.

— Très cher, déclara-t-il d'un ton suave, je suis entièrement de votre avis.

18

— Allons ! leur dit Poirot. Il nous reste encore un petit bout de chemin à parcourir ! Le Dr Gérard vient d'invoquer la psychologie. Eh bien, examinons les aspects psychologiques de cette affaire. Nous avons examiné les *faits*, établi une *chronologie des événements* et entendu les *témoignages*. Reste... la psychologie. Et l'élément psychologique le plus important pour nous touche à la mentalité de la défunte — c'est la psychologie de Mrs Boynton elle-même qui constitue le fondement de notre enquête.

» Reprenez dans mon aide-mémoire les points 3 et 4 : *Mrs Boynton trouvait un vif plaisir à empêcher sa famille de se mêler à des inconnus. L'après-midi de sa mort, Mrs Boynton a encouragé sa famille à partir et à la laisser seule.*

» Ils sont totalement contradictoires, ces deux points ! Pourquoi, cet après-midi-là, un si complet revirement de la part de Mrs Boynton ? Aurait-elle été touchée par la grâce ? Se serait-elle laissée aller à un accès de bonté ? Compte tenu de ce que je sais, cela me paraît hautement improbable ! Et pourtant, il doit bien y a voir eu un *motif* à ce changement d'attitude. C'était quoi, ce motif ?

» Etudions de près la personnalité de Mrs Boynton. On nous en a fait de multiples descriptions. C'était un tyran domestique — elle avait des tendances sadiques — elle était l'incarnation du Mal — elle était folle. Qu'est-ce qu'il y a de vrai dans tout ça ?

» Je croirais volontiers que c'est Sarah King qui a approché la réalité de plus près quand, à Jérusalem, au cours d'une illumination subite, elle a soudain vu dans la vieille dame un personnage pathétique, pitoyable. Et qui plus est *puéril* !

» Mettons-nous, si nous le pouvons, à la place de Mrs Boynton. Voilà une femme qui a l'ambition chevillée au corps, qui est animée par la passion frénétique d'imposer sa personnalité et de dominer ses semblables. Cette sauvage volonté de puissance, elle n'a jamais tenté de la sublimer, elle n'a pas essayé de la maîtriser, non, mesdames et messieurs, elle l'a laissée croître et embellir ! Mais au bout du compte — notez bien ceci —, *au bout du compte*, à quoi était-elle parvenue ? Son pouvoir ne représentait à tout prendre pas grand-chose ! Elle était crainte, elle était haïe ? Certes, mais de si peu de gens ! *Elle n'était que le dictateur au petit pied d'une petite famille !* Et, comme me l'a expliqué le Dr Gérard, elle a fini par s'ennuyer, comme n'importe quelle vieille dame se lasse de son passe-temps. Elle a décidé d'essayer d'étendre son champ d'action et de trouver un peu de distraction en jouant son pouvoir comme sur un coup de poker ! Mais cela lui a ouvert les yeux. Au cours de ce voyage à l'étranger, elle a pu mesurer, pour la première fois, le degré d'insignifiance où elle se situait !

» Et maintenant, venons-en directement au point 10 — à ce qu'elle a dit à Sarah King, à Jérusalem. Sarah King, voyez-vous, avait touché du doigt l'essentiel. Elle avait mis à nu le côté pitoyablement puéril du système de Mrs Boynton ! Et maintenant, écoutez bien — tous — les mots qu'elle a très précisément prononcés. Miss King nous a déclaré que Mrs Boynton s'était exprimée *"avec une telle méchanceté — sans même me regarder"*. Et ses paroles avaient été : *"Je n'ai jamais rien oublié ni un geste, ni un nom, ni un visage."*

» Cette déclaration avait vivement impressionné miss King. Et ce aussi bien par son extraordinaire intensité que par le ton âpre et lourd sur lequel elle avait été prononcée. Mais ladite impression a été si forte que miss King, à ce que je crois, n'a pas compris sa véritable signification.

» L'un d'entre vous la discerne-t-il, cette signification ?

Il attendit un instant.

— Je constate que non. Enfin voyons, mes chers amis, vous échapperait-il que cette phrase *ne constituait pas le moins du monde une réplique cohérente* à ce que miss King venait de lui dire ? « *Je n'ai jamais rien oublié — ni un geste, ni un nom, ni un visage.* » Ça n'a pas de sens. Si encore elle avait dit « Je n'oublie jamais une offense » — quelque chose dans ce goût-là — mais non : c'est d'*un visage* qu'elle parle...

» Ah ! poursuivit Poirot en se frappant dans les mains. Mais ça saute aux yeux ! Ces mots, ostensiblement adressés à miss King, *n'étaient pas destinés à miss King du tout* ! Ils visaient *quelqu'un d'autre*, qui se trouvait *derrière* miss King.

Il fit une pause et scruta les visages qui lui faisaient face :

— Eh oui, ça saute aux yeux ! Il s'agissait, je vous le répète, d'un moment crucial dans la vie de Mrs Boynton ! On venait de la mettre à nu, de lui jeter à la face l'inanité de son existence ! Elle étouffait de fureur impuissante — et, à ce moment précis, elle a *reconnu* quelqu'un — reconnu un *visage* du passé — une victime offerte qui lui tombait du ciel !

» Cela nous ramène, voyez-vous, à un meurtrier *extérieur à la famille* ! Et à partir de là, la gentillesse inattendue dont Mrs Boynton fait preuve l'après-midi de sa mort s'éclaire. *Elle veut être débarrassée de sa famille parce que* — si j'ose m'exprimer ainsi —, *elle a d'autres chats à fouetter !* Bref, elle veut avoir le champ libre pour pouvoir aborder sa nouvelle victime...

» Sous cet angle nouveau, examinons les événements de l'après-midi. La famille Boynton s'en va en corps constitué. Mrs Boynton est assise devant sa caverne. Portons maintenant toute notre attention sur les témoignages de lady Westholme et de miss Pierce. Cette dernière est un témoin peu fiable — elle n'a aucun don d'observation et elle est influençable. Lady Westholme, en revanche, est une observatrice de premier ordre, qui ne laisse rien passer. Ces deux dames sont d'accord sur un point précis ! *Un des serviteurs, un Arabe, s'approche de Mrs Boynton, trouve moyen de la mettre en colère et bat précipitam-*

ment en retraite. Lady Westholme a été formelle : ce serviteur a préalablement pénétré dans la tente de Ginevra Boynton, mais vous vous souvenez sans doute que celle du Dr Gérard était mitoyenne. N'est-il donc pas possible que ce soit dans *celle du Dr Gérard* que cet Arabe est entré ?

— Est-ce que vous seriez par hasard en train de me dire que c'est un de ces Bédouins qui a tué la vieille en la piquant avec une seringue ? coupa le colonel Carbury. Ça ne tient pas debout !

— Attendez, colonel. Je n'en ai pas terminé. Admettons que l'Arabe en question *ait pu* sortir de la tente du Dr Gérard et non de celle de Ginevra Boynton. Qu'est-ce qui se passe ensuite ? Nos deux dames affirment qu'elles n'ont pas pu assez clairement discerner ses traits pour avoir une chance de l'identifier et qu'elles n'ont pas entendu ce qui se disait. C'est bien compréhensible. La distance entre la tente principale et la corniche représente quelque deux cents mètres. Cependant lady Westholme a fourni un signalement précis de ce fameux Arabe et a décrit en détail ses pantalons dépenaillés et ses guêtres nouées à la diable.

Poirot se pencha en avant :

— Et cela, mes bons amis, *c'est réellement tout ce qu'il y a d'étrange* ! Parce que si elle ne pouvait pas discerner ses traits ni entendre les mots échangés, *elle ne pouvait pas davantage juger de l'état de son pantalon et de ses guêtres* ! Pas à deux cents mètres !

» Ç'a été une erreur, ça, voyez-vous ! Cela m'a donné à réfléchir. *Pourquoi* insister à ce point sur des pantalons en loques et des guêtres de traviole ? Ne serait-ce pas parce que les pantalons n'étaient *ni* sales *ni* rapiécés et que *les guêtres n'ont jamais existé* ? Lady Westholme et miss Pierce ont toutes les deux vu cet individu — mais de là où elles se trouvaient, *elles ne pouvaient même pas se voir l'une l'autre*. Ce qui nous est confirmé par le fait que lady Westholme *est allée voir* si miss Pierce avait fini sa sieste et l'a trouvée assise à l'entrée de sa tente.

— Bon Dieu ! s'exclama le colonel Carbury en se redressant dans son fauteuil. Vous prétendez que...

— Je dis seulement que, s'étant assurée de ce que faisait miss Pierce (seul témoin possible), lady Westholme est retournée à sa tente, a enfilé ses culottes de cheval et ses bottes, a passé une veste kaki, et s'est composé une coiffure indigène en se servant de sa peau de chamois comme *keffieh* et d'un écheveau de laine en guise d'*ogal*. Ainsi déguisée, elle a mis le cap sur la tente du Dr Gérard, fouillé dans sa trousse, jeté son dévolu sur la digitoxine, rempli la seringue et couru vers sa victime.

» On peut supposer que Mrs Boynton somnolait. Lady Westholme n'a pas perdu de temps. Elle lui a pris le poignet et lui a injecté la drogue. Mrs Boynton a tenté d'appeler au secours... essayé de se lever... puis a eu un premier malaise. L'"Arabe" a pris la fuite en donnant tous les signes de la confusion. Mrs Boynton a encore agité vainement sa canne, s'est contorsionnée dans une ultime tentative pour se mettre debout... et puis est retombée, morte, dans son fauteuil.

» Cinq minutes plus tard, lady Westholme rejoint miss Pierce et, discutant avec elle de l'épisode auquel cette dernière vient d'assister, *lui inculque sa propre version des événements*. Sur quoi elles partent en promenade, s'arrêtent au passage sous la corniche où la vieille dame est assise. Lady Westholme lui crie quelques mots. Elle ne reçoit pas de réponse — et pour cause : Mrs Boynton est déjà morte. Mais lady Westholme prend miss Pierce à témoin : "C'est quand même grossier de sa part de ne nous répondre que par un grognement !" Pour miss Pierce, c'est là parole d'Évangile — elle a souvent entendu Mrs Boynton se borner à répondre par un grognement. Si nécessaire, elle sera prête à jurer, en toute sincérité, qu'elle a *vraiment* entendu Mrs Boynton grogner ! Lady Westholme a participé à suffisamment d'ouvroirs et de comités avec des créatures comme miss Pierce pour savoir comment les influencer et imposer sa personnalité. Le seul point sur lequel son plan échoue, c'est la restitution de la seringue. Le retour prématuré du Dr Gérard trouble son programme. Elle espère qu'il n'a rien vu, ou qu'il croit avoir mal regardé, et remet la seringue dans la trousse pendant la nuit.

Poirot se tut.

— Mais enfin, demanda Sarah King, *pourquoi* ? Pourquoi lady Westholme aurait-elle pu vouloir tuer Mrs Boynton ?

— Ne m'avez-vous pas dit que lady Westholme était près de vous quand vous avez eu cette altercation avec Mrs Boynton, à Jérusalem ? C'était à lady Westholme qu'était destinée la phrase de Mrs Boynton : « *Je n'ai jamais rien oublié — ni un geste, ni un nom, ni un visage.* » Rapprochez cela du fait que Mrs Boynton *avait été gardienne de prison* et vous aurez une assez bonne approximation de la vérité. Lord Westholme a fait la connaissance de son épouse sur le bateau qui le ramenait *des Etats-Unis*. Lady Westholme avait commis un délit avant son mariage et purgé une peine de prison.

» Vous mesurez l'affreux dilemme auquel elle avait à faire face ? C'était sa carrière, ses ambitions, sa position sociale qui étaient en jeu ! Ce dont elle avait pu se rendre coupable, nous l'ignorons encore (nous n'allons pas tarder à le savoir), mais ça devait être suffisamment grave pour ruiner sa carrière politique en cas de révélation. Et puis ne perdez pas de vue que *Mrs Boynton n'était pas un maître chanteur ordinaire*. Ce n'était pas de l'argent qu'elle voulait. Ce qu'elle recherchait, c'était le plaisir sadique de torturer un moment sa victime avant de révéler ses turpitudes de la manière la plus spectaculaire qui soit ! Non, aussi longtemps que Mrs Boynton vivrait, lady Westholme serait en danger. Elle a obtempéré à l'injonction de Mrs Boynton de venir la rejoindre à Pétra (j'avais dès le début trouvé bizarre qu'une femme aussi pénétrée de son importance condescende à voyager comme une touriste du commun),

218

mais nul doute qu'elle ait ruminé des idées de meurtre. Dès qu'elle a vu sa chance, elle l'a saisie à bras-le-corps. Elle n'a commis que deux bourdes. La première a été d'en dire trop — la description du pantalon dépenaillé — ce qui m'a tout de suite mis la puce à l'oreille. La seconde, quand elle a confondu la tente de Ginevra avec celle du Dr Gérard et qu'elle est tombée sur Ginevra à moitié assoupie avant de s'apercevoir de son erreur. C'est de là qu'est venue l'histoire — en partie romancée, en partie bien réelle — que Ginevra a racontée à propos du Cheik déguisé. Poussée par l'instinct qui la conduit à théâtraliser les événements, Ginevra a déformé ce qu'elle avait vu, mais, pour moi, c'était un indice suffisant.

Il marqua un temps.

— Quoi qu'il en soit, nous serons fixés sous peu. Sans qu'elle s'en aperçoive, j'ai relevé aujourd'hui les empreintes digitales de lady Westholme. Sitôt communiquées à la prison où Mrs Boynton a autrefois travaillé, elles seront comparées à celles qui figurent au fichier et nous ne tarderons pas à connaître la vérité.

Poirot se tut.

Dans le silence qui suivit, un bruit claqua.

— Qu'est-ce que c'est que ça ? demanda le Dr Gérard.

— On aurait dit un coup de feu ! s'exclama le colonel Carbury en bondissant de son fauteuil. Ça vient de la chambre à côté. Qui est-ce qui y loge, au fait ?

La voix de Poirot se fit murmure :

— J'ai toujours eu ma petite idée sur la question... Voyez-vous, c'est la chambre de lady Westholme.

ÉPILOGUE

Extrait de l'*Evening Shout* :

Nous avons le regret d'annoncer la mort de lady Westholme, député à la Chambre des Communes, à la suite d'un tragique accident. Lady Westholme, qui aimait à parcourir les contrées les plus reculées, portait toujours sur elle un petit revolver. C'est en le nettoyant qu'elle s'est mortellement blessée. Le décès a été instantané. De tous côtés, lord Westholme a reçu des témoignages de sympathies qui... etc., etc.

Cinq ans plus tard, par une belle soirée de juin, Sarah Boynton et son mari étaient assis au premier rang d'orchestre d'un théâtre de Londres. On y donnait *Hamlet*. La jeune femme étreignit le bras de Raymond quand s'éleva le chant d'Ophélie :

> *Comment puis-je reconnaître votre amoureux*
> *D'un autre ?*
> *A son chapeau de coquillages, à son bâton,*
> *A ses sandales.*

> *Il est mort et s'en est allé, Madame,*
> *Il est mort et s'en est allé.*
> *A sa tête, un coussin herbeux,*
> *A ses pieds une pierre.*

Sarah en eut la gorge serrée. Cette tendre beauté sans artifice, ce sourire surnaturel d'un être qui a surmonté la douleur et le chagrin pour accéder à un pays où seuls les mirages sont réels...

— Qu'elle est belle ! murmura Sarah.

Et puis cette voix modulée, qui toujours avait possédé un timbre émouvant, et qu'on avait maintenant disciplinée, travaillée pour en faire un instrument au registre immense...

Quand le rideau tomba, à la fin de l'acte, Sarah confia à Raymond :

— Jinny est une grande, une *très grande* comédienne.

A la fin de la soirée, ils se rendirent au *Savoy* pour souper. Ginevra, souriante, un peu inquiète, se tourna vers l'homme barbu qui avait pris place à sa droite :

— J'ai été bonne, n'est-ce pas, Théodore ?

— Vous avez été merveilleuse, chérie.

Un sourire heureux éclaira le visage de la jeune comédienne qui souffla à son mari :

— *Vous*, vous avez toujours cru en moi... vous avez toujours su que je pouvais faire de grandes choses... émouvoir les foules...

A quelques tables de là, le titulaire du rôle d'Hamlet se plaignait avec aigreur :

— Quelle affectation !... Naturellement, *au début*, cela plaît... Mais, enfin, ce n'est plus *Shakespeare* ! Et vous avez vu comme elle m'a volé ma sortie ?

Nadine, assise face à Ginevra, se réjouissait :

— C'est formidable d'être à Londres pour voir Jinny jouer Ophélie et triompher à ce point !

— Vous êtes si gentils d'être venus, sourit Ginevra.

— Une vraie réunion de famille, fit Nadine, souriant à son tour à la ronde.

Puis, tournée vers Lennox :

— Je crois que les enfants pourraient venir en matinée, non ? Ils sont assez grands maintenant, et ils ont tellement envie de voir tante Jinny sur scène !

Lennox, un Lennox apaisé, détendu, au regard pétillant, leva son verre :

— Aux nouveaux époux, Mr et Mrs Cope.

Jefferson et Carol Cope répondirent à ce toast en riant tous deux.

— Vous êtes un soupirant infidèle, reprocha gaiement Carol à son mari. Jeff, tu ferais mieux de boire à ton premier amour puisqu'elle est assise en face de toi !

Raymond pouffa.

— Jeff rougit, ironisa-t-il. Il n'aime pas qu'on lui rappelle le passé.

Mais son visage s'assombrit soudain.

Sarah posa sa main sur la sienne, et l'ombre s'effaça des traits de Raymond Boynton. Il la regarda tendrement :

— C'était comme un mauvais rêve...

Un petit homme coquet, tiré à quatre épingles, s'approcha de leur table. Plus raffiné, plus élégant que jamais, les moustaches orgueilleusement relevées, Hercule Poirot plongea dans une courbette :

— Mes hommages, mademoiselle, dit-il à Ginevra. Vous avez été prodigieuse !

Tous l'accueillirent avec chaleur. On lui fit place, à côté de Sarah.

Il les regarda tous d'un air épanoui et, profitant de ce que la conversation était redevenue générale, se pencha pour murmurer à Sarah :

— Eh bien, il me semble que tout marche maintenant à merveille pour la famille Boynton !

— Grâce à *vous* ! répliqua Sarah.

— Votre mari accède à la célébrité, dites-moi. Je viens de lire une très bonne critique de son dernier roman.

— Il faut avouer aussi qu'il n'est vraiment pas mauvais — encore que ce ne soit pas à moi de le dire ! Vous saviez que Jefferson Cope et Carol avaient fini par décider de se marier ? Et que Lennox et Nadine ont eu deux enfants adorables — mignons tout plein, comme dit Raymond. Quant à Jinny... Eh bien, je crois que Jinny a du génie.

Sarah regarda sa belle-sœur, son visage d'ange à la rousse auréole.

Soudain ses traits se figèrent. Et elle porta lentement son verre à ses lèvres.

— A qui donc buvez-vous, madame ? demanda Poirot.

— J'ai... j'ai brusquement pensé... à *elle*, répondit Sarah avec lenteur. En regardant Jinny, j'ai vu, pour la première fois, la ressemblance. Elles sont semblables — à ceci près que Jinny est dans la lumière, tandis qu'*elle*, elle était dans la nuit...

Comme si une relation télépathique s'était établie entre les deux belles-sœurs, Ginevra souffla soudain :

— Pauvre Mère... Elle était si peu bien dans sa tête... Maintenant que nous sommes tous si heureux, j'éprouve une sorte de chagrin pour elle. La vie ne lui a pas apporté ce qu'elle en attendait. Cela a dû être très dur pour elle.

Et, sans transition aucune, sa voix frémissante modula quelques vers de *Cymbeline* que tous écoutèrent en silence :

Ne crains plus la brûlure du soleil,
Ni les tempêtes de l'hiver.
Tu as accompli ta tâche en ce monde,
Tu as trouvé un refuge et touché ta récompense...

Composition réalisée par JOUVE

Imprimé en France sur Presse Offset par

BRODARD & TAUPIN

GROUPE CPI

La Flèche (Sarthe).
N° d'imprimeur : 14045 – Dépôt légal Édit. 25478-11/2002
LIBRAIRIE GÉNÉRALE FRANÇAISE - 43, quai de Grenelle - 75015 Paris.

ISBN : 2 - 253 - 03994 - 2   30/6253/6